羅浮宮

參觀指南

繪　畫
畫　描
素　塑
雕　藝
工

瓦萊裡·梅達斯著

art lys

封面：《蒙娜麗莎或焦貢妲肖像》，萊奧納多・達芬奇作，
約1503年－1506年，木板油畫，77×53厘米
第八頁和第九頁：拿破侖庭院中心的玻璃金字塔，貝聿銘設計，建於1989年。
第十一頁：十二世紀時菲利普・奧古斯特時期的羅浮宮，圖為堡壘和城樓的地下部分。

編輯協調：德尼・克伊朗
版面設計和製作：馬蒂娜・莫納
平面圖製作：蒂埃裡・勒波雷東，多米尼克・比西埃爾
畫像配置：克裡斯第昂・裡奧
製作：皮埃爾・凱格勒斯

目錄

羅浮宮，博物館宮殿

　　1792年，即法蘭西共和國元年，時任國民政府內務部長羅蘭先生對將在1793年7月27日成立的中央藝術博物館製定了一些規定，他指出："在羅浮宮內設博物館是當前一個重大事項；其條文已正式發佈了，作為內務部長，我就任為博物館建設的組織者和監護人⋯。我認為，這座藝術館將用於向公眾展示所有屬於全體公民的素描、繪畫、雕刻以及其它藝術作品。它要能吸引外國游人並由此獲得全世界的矚目；它應該能滋養人們對藝術的興趣並幫助藝術家成材；它必須向全體公民開放⋯。這座宮殿為國家所有，不屬於任何享有特權的人。"從此皇家羅浮宮退出歷史舞台，取而代之的是一個具有宏偉遠景的藝術博物館。

皇家之遺產

　　雖然是資產階級大革命創建了面向全體公民的博物館，然而此博物館正是基於十八世紀中葉和路易十六時期製定的藍本而建成的：1776年，路易十六為此組建了一個執行委員會，編造了財產清冊、修複了現有作品並通過購買途徑補充了皇家的珍藏。使這個藝術博物館初具規模。

　　中央藝術博物館於1793年8月10日在方形沙龍和連接羅浮宮與國家宮殿（舊杜伊勒利宮）的大畫廊中舉行揭幕典禮儀式時，它所擁有的是，從王室那"繼承"的壯觀的繪畫和雕刻藝術的全部收藏品：弗朗索瓦一世、路易十四和路易十六的繪畫陳列館擺滿了意大利文藝複興時期的藝術作品，其中最著名的是拉斐爾的傑作和萊奧納多·達芬奇的《焦貢妲》，也裝滿了"偉大世紀"（即十七世紀時期）的藝術大師以及弗朗德勒、荷蘭等地藝術大師的作品。亨利四世創辦的《古代藝術廊》實為藝術世界的瑰寶，並使此博物館得以發展。這些還未包括繪畫和雕刻學院的豐富財產。

《羅浮宮的大畫廊》，于貝爾·羅貝爾，
作於1794年－1796年

全世界讚美之地

　　1799年被執政府取代的為時不長的第一共和國也增添了皇家遺產的財富：它征收了流亡貴族的財產，攝取了教堂中的珍寶，如儲藏在聖-德尼修道院中專為國王加冕用的物品，並獲得了駐軍在比利時、德國或意大利的戰利品。羅浮宮是富麗堂皇的藝術殿堂、人民戰勝暴君的象徵、法國榮華的描繪，因此人們指出："它將成為全世界讚美之地"。

　　後來又輪到拿破侖帝國流芳百世：甚至在1803年，波拿巴·拿破侖登基的前一年，他就用他的名字命名了博物館。拿破侖在對整個歐洲進行的南征北伐中獲得的大批珍寶，源源不斷地被運到巴黎，使羅浮宮的收藏品大大豐富起來；兩個建築師，佩斯爾和方丹為陳列這些豐富的藝術珍品設立了專門的藝術館。

《布置戰神園廳的計劃》，于貝爾·羅貝爾，
作於1797年－1800年

面向其它文明之發現

在1815年，拿破侖的博物館崩潰瓦解了。複辟君主政體重返杜伊勒利宮並重整前政府留下的博物館。其首要任務是歸還幾乎所有徵收的珍寶。此後，政府通過轉讓、捐獻及購買形式才又使其收藏品日漸豐博，逐步填補了空白和創建了新館。如：在大革命時期落成的法國文物博物館於1817年關閉，提供了大量的雕塑製品；魯賓斯為盧森堡畫廊製作的畫布油畫給博物館的入口大增光彩；還有1821年捐贈給路易十八的《米洛的維納斯》也充實了博物館的珍藏。六年之後，誕生了"夏爾十世博物館"。

倘若羅浮宮能以歐洲藝術的傑作而自豪的話，那么它還應更多地展示世界上其它地區的文明。因此，1826年，讓·弗朗索瓦·尚博良受命籌辦了"埃及分館"，負責購買在埃及的法國領事和英國領事的收藏品；駐摩蘇爾的法國領事保爾·埃米爾·博塔在1843年進行了大量的搜尋工作，發掘了在科爾薩巴德的薩爾貢二世宮殿的文物：由此建立了"亞述分館"。第二共和國以同樣的精神宗旨，它在1848年把羅浮宮改名為"人民宮殿"，之後又對它進行了修複和裝飾工程，並設立了一個人種志博物館，即後來的人類博物館。

《夏爾十世在1824年的展覽會上對藝術家們分發獎賞》，弗朗索瓦·漢姆作於1827年，羅浮宮中也有些"沙龍"用於展示當時藝術家的作品。

捐獻、遺產和購買

當第二帝國雄心勃勃地展開各種工程（如：連接羅浮宮和杜伊勒利宮）時，博物館則繼續整理內部、編寫財產清單和收藏品一覽表，鼓勵捐獻者前來捐贈，包括夏爾·索瓦熱奧1856年的捐贈品或教會聖師拉卡蔡1869年的捐贈品，並獲得大量的藝術珍藏，如1863年收到的康帕納侯爵的收藏品，包羅了幾千件希臘和伊特魯利亞陶瓷製品、意大利繪畫、馬約裡卡陶器…。1863年博物館還迎來了《薩摩特剌科的勝利女神》的雕像。

第三帝國時期，源源不斷的遺產和捐贈珍品繼續擴充著博物館的寶貴財物，捐贈者有：卡蒙多、蒂埃爾、什利克丁、肖夏、羅特希爾德、凱博特、莫羅·內拉東和其他人。

《阿波羅戰勝蛇神普東》，歐仁尼·德拉克魯瓦畫於1850年－1851年，展於阿波羅廳，天花板中央的裝飾是於第二共和國時期訂購的。

大羅浮宮計劃

1981年確定的大羅浮宮計劃是為了讓羅浮宮徹底地改頭換面，在二十世紀末給羅浮宮的歷史增添新的篇章。這個計劃分幾個步驟實施：1989年建成玻璃金字塔和拿破侖庭院的接待設施；1993年在財政部大樓之處建成黎希留翼樓，并用於儲藏珍品；1997年完成德儂和緒利翼樓。大羅浮宮計劃即將實現。

作為百科全書的真實寫照的博物館分七個展區，它們是：古代東方藝術展區（包含伊斯蘭藝術）、古埃及藝術展區、古希臘藝術展區、古西伊特魯立亞和古羅馬藝術展區、繪畫藝術展區、素描藝術展區、雕刻藝術展區、工藝美術展區，由此組成一座輝煌富饒的藝術宮殿。羅浮宮以新的面貌展現在人們的面前，可使參觀者發現它的奧秘，鑒定它的真跡。

玻璃金字塔，由貝聿銘設計，內部結構一瞥。

菲利普·奧古斯特和夏爾十五時期	弗朗索瓦一世時期	亨利二世時期	亨利四世時期	路易十三和路易十四時期

1190 年

菲利普·奧古斯特(1180年－1223年)建造了一道巴黎城牆,在西部由一座堡壘－羅浮宮掩護著(堡壘曾處於目前方形中庭的西南部)。

1214 年

在城堡主塔"巨大城樓"內,匯集了珍寶館、檔案館及皇家家具館。

1226 年－1270 年

在聖·路易的統治下,在西翼樓內安置了一個用於召見和會客的大廳。

1365 年－1370 年

夏爾五世(1364年－1380年)有時住在羅浮宮,他委任建築師雷蒙·迪·唐普爾擴建宮殿。

十二世紀時菲利普·奧古斯特的羅浮宮,圖為堡壘和城樓的地下部分。

夏爾五世的羅浮宮,《聖－日爾曼－德佩的大師》,聖－日爾曼－德佩的聖母哀子圖局部,約1500年。

1528 年

弗朗索瓦一世(1515年－1547年)決定定居於巴黎的羅浮宮,他下令拆毀城堡主塔,裝飾宮室。

1540 年

國王在羅浮宮召見夏爾·坎特。

1546 年

弗朗索瓦一世委任皮埃爾·萊斯科研製修建規劃:用文藝複興時期的風格重建宮殿,但外圍體積不變,由此矗立起了一座"龐大王宮"。

1548 年－1553 年

在亨利二世(1547年－1559年)統治時期建成了萊斯科翼樓;內部裝修則歸功於讓·古戎。同期建成了國王閣樓。

1550 年

在亨利二世新翼樓的一層的一個大廳,又稱"舞廳"的大廳內,古戎為音樂家安置了一個演奏台。

1559 年－1574 年

建設方形中庭的南樓。

1564 年－1574 年

攝政女王卡特琳·梅蒂西斯委派奧姆的菲利普建設她的宮殿,這就是杜伊勒利宮,它處於夏爾五世城牆之外。

1566 年

建設一座小回廊,攔截西面的花園,此花園延伸在羅浮宮和平行於河流的圍牆之間。

方形中庭的西南樓,皮埃爾·萊斯科和讓·古戎,建於1548年－1553年。

1594 年－1610 年

亨利四世(1589年－1610年)時期設計了羅浮宮的"宏圖"。路易·梅特佐和雅克·安德魯埃·迪·賽爾索建成了大回廊,即"水邊畫廊",它長達460米,連接羅浮宮和杜伊勒利宮。同年,完成連接萊斯科翼樓的小回廊的建設。至此,宮殿庭院擴增了四倍。在正廳的一層,安置了"古代藝術大廳",用以保存皇家珍藏。

1608 年

亨利四世決定在正廳內安頓"國王的工人"。

"水邊畫廊"的東面,路易·梅特佐,建於1595年－1607年。

1610 年－1643 年

路易十三時期,雅克·勒梅爾斯埃建起了與萊斯科翼樓毗鄰的緒利樓,或稱時鐘閣樓。

1655 年－1656 年

攝政女王奧地利的安娜(1624年－1664年)在小回廊的一層設置了她的夏天居殿,由喬瓦尼·弗朗西斯科·羅曼內利加以裝修。

1659 年－1664 年

路易十四(1643年－1715年)指派路易·勒沃建設方形中庭的南、北樓。

1661 年－1670 年

處於小回廊二層被燒毀的國王畫廊由勒沃重新修建並由夏爾·勒布倫加以裝飾。勒沃和弗朗索瓦·德·奧爾備向北面延伸擴建了杜伊勒利宮;勒諾特爾設計了宮殿花園。

時鐘閣樓正面,朝向方形中庭。雅克·勒梅爾斯埃和雅克·薩拉贊,建於1640年。

路易十四及路易十五時期	從路易十六至執政府時期	拿破侖一世王朝複辟及第二共和國時期	拿破侖三世時期	二十世紀時期

1667 年－1670 年
克勞德·貝洛和路易·勒沃建成東翼樓和它的正面，柱廊則在 1812 年完工。

1678 年
路易十四離開羅浮宮，安居在凡爾賽，近四百間繪畫藝術的皇家展廳留在羅浮宮：一個半公共博物館初見規模。

1725 年
繪畫和雕塑皇家藝術院年展在"方形沙龍"舉行，這些展覽會一直持續到 1848 年。

1750 年
路易十五時期擬定了開放博物館和在大畫廊展覽繪畫收藏品的計劃，但因缺乏資金而被迫放棄了這個計劃。

東面的柱廊，
克勞德·貝洛、
路易·勒沃和夏爾·勒布倫
建於 1667 年

1776 年
路易十六統治時期（1774 年－1791 年），國王的建築總監，安吉維爾伯爵研究了"博物館"的創建，在 1784 年，他任命于貝爾·羅貝爾為繪畫"總管"。

1789 年
公民把路易十六安置在成為"國家宮殿"的杜伊勒利宮。

1791 年－1792 年
皇家的收藏成為國民所有。征收了宗教機構、逃亡貴族的儲藏珍品。法國資產階級的革命軍也從征討全歐洲的路途上獲得了大量戰利品。

1793 年 7 月 27 日
第一共和國發佈公文，建立中央藝術博物館，並於 8 月 10 日舉行揭幕典禮。

1800 年
首席執政波拿巴入主杜伊勒利宮。

1803 年
博物館成為"拿破侖博物館"。

《大畫廊裝飾計劃》，
于貝爾·羅貝爾，
作於 1796 年

1806 年－1808 年
拿破侖一世（1804 年－1815 年）任命夏爾·佩爾斯埃和皮埃爾·方丹籌建騎馬雕塑的凱旋門，並把它矗在杜伊勒利宮的進口處。

1810 年－1814 年
沿黎沃裡街建設北畫廊。

1815 年
在王朝複辟時期征收到的大部分藝術珍品得以修複。

1826 年
在讓·弗朗索瓦·尚博良指導下，建成"埃及分館"。

1827 年
整修一些新展廳，並稱之為"夏爾十世博物館"。

1838 年
建成路易·菲利普的"西班牙博物館"。

1847 年
"亞述分館"開展。

1848 年
第二共和國宣佈羅浮宮建設完畢，取名為"人民博物館"。

《1810 年帝國統治下的
一日巡顧》，
以騎馬雕塑的凱旋門和
杜伊勒利宮為背景。
伊波利特·貝朗熱作於
1862 年。

1852 年－1857 年
拿破侖三世（1852 年－1870 年）著手進行"新羅浮宮"計劃的實施，他將這個計劃委託給盧多維科·韋斯孔迪和埃克托爾·勒菲埃爾，目的在於把羅浮宮和杜伊勒利宮連在一起。

1861 年－1870 年
勒菲埃爾重修大畫廊的西部和花神閣樓，卡爾波對此進行了裝修。建設騎馬雕塑的小門。

1871 年
在巴黎公社時期，羅浮宮由一批藝術家管理。5 月份的一場火災摧毀了杜伊勒利宮，殘存建築直到 1883 年才被拆毀。

《建築師韋斯孔迪向皇帝和
皇后介紹新羅浮宮的
設計圖紙》，昂熱·蒂塞
作於 1866 年。

《騎馬雕塑廣場，
杜伊勒利宮的廢墟》，吉尤
澤普·德·尼特
作於 1882 年。

1929 年
開始收藏珍品的重新整頓。

1953 年
喬治·布拉克給伊特魯立亞大廳裝配了圓雕飾。

1981 年
弗朗索瓦·密特朗決定把財政部占據的地方撥給博物館，開始大羅浮宮計劃的建設。

1989 年
拿破侖廣場上由貝聿銘設計的金字塔、主進口以及接待設施落成典禮。經過一些挖掘工作，發掘出了中世紀的羅浮宮。

1993 年
黎希留館落成：22000 平方米的展廳容納四個展區的收藏珍品。
同年拿破侖三世展廳落成。

1995 年－1997 年
整修德儂館和緒利館。

1998 年
大羅浮宮建設完畢。

拿破侖庭院中心的
玻璃金字塔，
貝聿銘，建於 1989 年。

堡壘

　　1190年菲利普·奧古斯特離開他那毫無防守的王宮和首府，率領十字軍東征。因此他命令"巴黎的資產階級把巴黎這個他十分喜愛的城市用堅固的城牆圍起來，並配上威嚴的大門和城樓。"編年史作者黎高爾這樣敘述過。這個城牆首次使塞納河兩岸，即左岸的拉丁區和右岸的市場區相連，它具有十扇大門和七十五座城樓，占地二百七十公頃。在西部的一片多沙地帶上，矗立著一座堡壘，以防御從河上入侵的敵人。"羅浮宮"便由此誕生了。對於"羅浮"一詞的來源曾有過無數次探討："羅瓦爾"在薩克遜語中是"城堡"的意思，"陸帕拉"一詞意味著捕狼的駐扎營，"魯布拉"一詞指土地的紅顏色…。這個堡壘呈一個寬大的四方形，由六個城樓守衛著，並由一條水渠圍繞著，在其中心矗立著圓柱式的主城樓：它高達三十多米，帶有一架吊橋和一眼井，由一干渠圍繞，它被稱為"巨大城樓"，掩護著兵器庫、監獄和住宅。到了十四世紀，由夏爾五世把這座堡壘改建為住所，在為巴黎設置了圍攏羅浮宮和其四周環境的新圍牆之後，他又為堡壘安裝了有中梃的窗子，建成了宮殿主體和宏偉的階梯，設計了美妙的花園…。使這個城堡變成了皇家居住的場所。由此產生了一個悠久歷史的開端。

博物館中二層平面圖

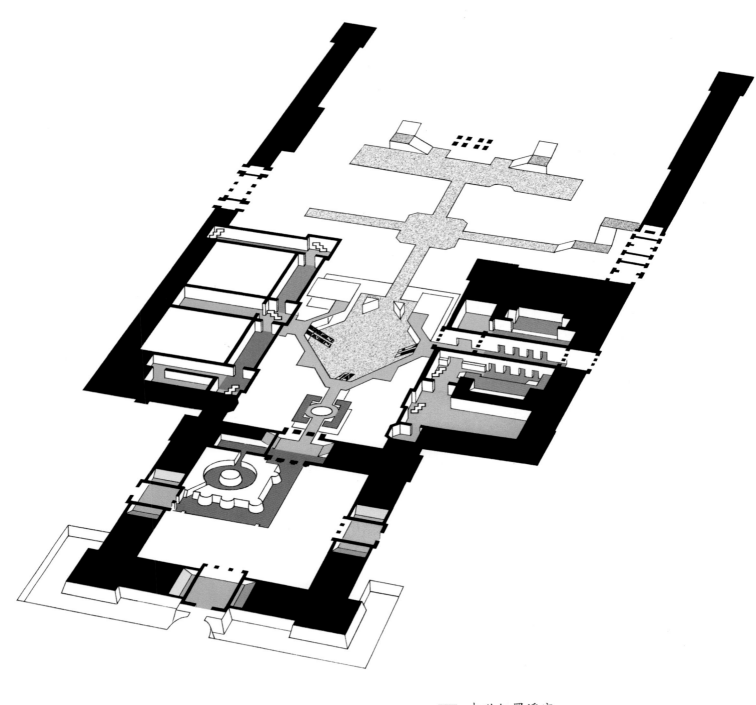

中世紀羅浮宮
古代東方藝術展區
古埃及藝術展區
雕刻藝術展區

博物館一層平面圖

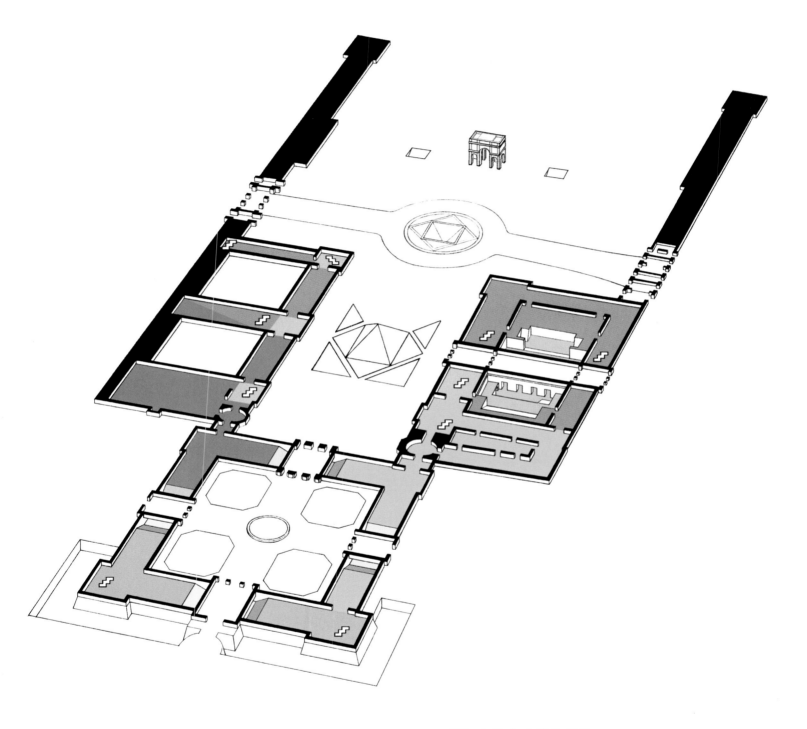

■ 古代東方藝術展區
■ 古埃及藝術展區
■ 古希臘、
　伊特魯立亞和古羅馬藝術展區
■ 雕刻藝術展區

博物館二層平面圖

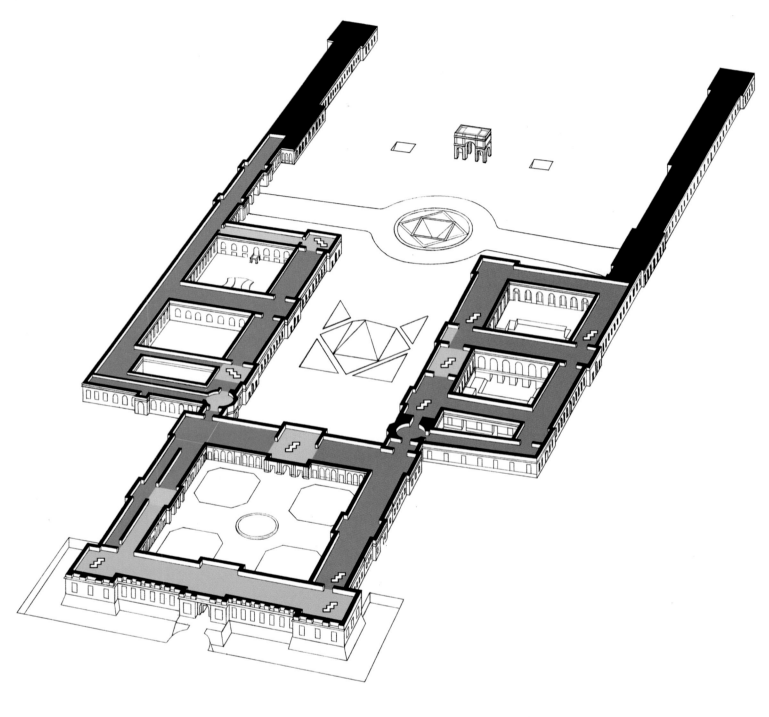

古埃及藝術展區

古希臘、
伊特魯立亞和古羅馬藝術展區

繪畫藝術展區

素描藝術展區

工藝美術展區

博物館三層平面圖

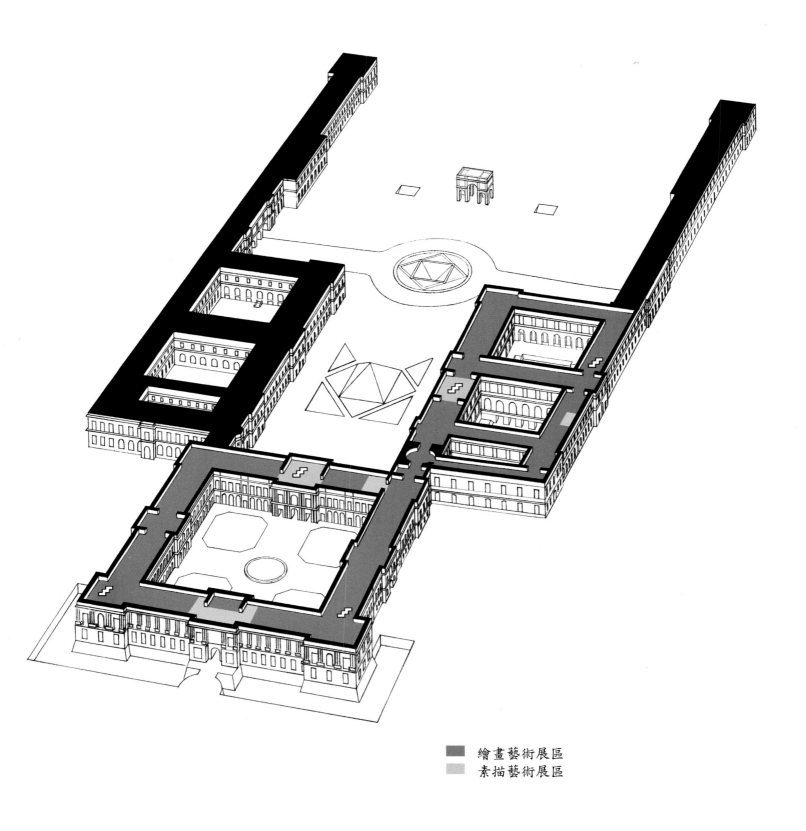

■ 繪畫藝術展區
■ 素描藝術展區

古代東方藝術

建設君主和戰爭帝王

RICHELIEU

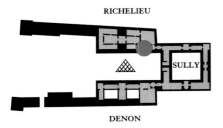

DENON

這些作品位於黎希留館一層
第 1a 展廳內。

吾珥・南什王時期的浮雕
泰洛（吉蘇遺址，伊拉克）
約公元前 2500 年
石灰岩浮雕，高 40 厘米

禿鷹石碑
《紀事》面的局部
泰洛（吉蘇遺址，伊拉克）
約公元前 2450 年
石灰岩碑，高 170 厘米

　　公元前三千年左右，在蘇美爾的下美索不達米亞地區，坐落在"兩河（底格裡斯河和 幼發拉底河）流域天然延伸地帶"的一些城邦逐步形成，由此誕生了等級製度社會和一個城市，並引起了文字的發明和雕刻的發展，這兩者均為統治政權服務。在浮雕中，拉伽什第一王朝的創立者吾珥・南什頭上頂著一個盛石碑的籬筐，以建設君主的形象出現，而他的孫子艾阿那坦則用戰爭帝王的形象來描繪。禿鷹石碑圖文並茂，描述了艾阿那坦戰勝烏瑪王子的勝利事跡：在《紀事》一面，他指揮著部隊戰勝敵人；在《神話故事》一面，寧吉爾蘇神把戰俘置於網中。

馬裡王國

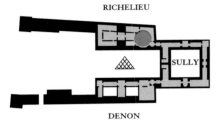

RICHELIEU

SULLY

DENON

這些作品位於黎希留館一層
第1b展廳內。

在幼發拉底河河畔，人們發掘了強盛的馬裡王國的一些遺跡，馬裡王國曾建築了一個宏偉宮殿和一些用來祭神的廟宇。在這裡，曾豎立過許多紀念戰爭事跡的壁板，一些君主及顯貴也到此安置他們的雕塑人像，以便能永遠對著掌管戰爭的伊什卡女神像祈禱。艾比・伊勒總管是馬裡王國的重要人物之一，他穿著一件名為"伽烏納克斯"的羊毛裙，它可作為裙子、露肩的披巾或長袍。

《馬裡征牌》壁板
約公元前 2400 年
貝殼珍珠鑲板，小雕像高 3.3 厘米

《艾比・伊勒總管》雕塑（局部）
馬裡（敘利亞），約公元前 2400 年
大理石雕刻物，眼睛用貝殼和天青石鑲嵌，
高 52.5 厘米。

巴比倫王國的司法判決

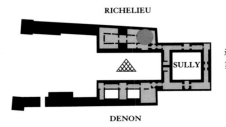

這些作品位於黎希留館一層第 2、3 展廳內。

古德亞王子在拉伽什執政十五年，拉伽什為蘇美爾最後的王朝之一。

《古噴水器旁的古德亞》
泰洛（吉蘇遺址，伊拉克）
約公元前 2150 年
方解石雕塑，高 62 厘米

《拉爾沙的崇拜者》，小雕像
拉爾沙（伊拉克），約公元前 1800 年
青銅與黃金材料製品，
高 19.6 厘米

漢摩拉比的《法典》（局部）
作為戰利品運到蘇薩（伊朗）的
巴比倫石碑
公元前 1792 年－公元前 1750 年
玄武岩石碑，高 225 厘米

在掌管司法的太陽神沙馬什的權威保護之下，巴比倫王國第一代的君主漢摩拉比讓人在一塊豐碑上刻了在王國內審判過的近三百椿案件，列舉了各種罪狀：盜竊、通奸、違契毀約、欠債和其他私人的或職業上的爭執。對罪人的判刑取決於他所處的社會階層：自由的人則淪為下層社會的木什克南人，被判刑的人則逐層降低他們的身份，直至奴隸為止。

亞述帝國，波斯帝國

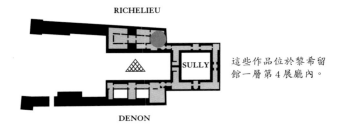

這些作品位於黎希留館一層第4展廳內。

《人面獸身的公牛》牆面
庫爾沙巴德（伊拉克），
薩爾貢二世宮殿的庭院，
公元前713年—公元前706年
石膏大理石製品，高440厘米
全圖見24、25頁

1843年駐摩蘇爾的法國領事到庫爾沙巴德發掘古跡，自認為已將尼尼微城 — 亞述帝國最後一座古都的地墓公諸於世，事實上它只是亞述帝國的另一首府 — 杜爾·沙爾金"薩爾貢的堡壘"。這座龐大的宮殿建在一個平台上，占地面積十公頃，擁有二百個庭院和大廳；牆上的淺浮雕長達兩公里，配戴著神聖錐形冠的人面獸身公牛守護著正門。若干年之後，亞述分館在羅浮宮開幕剪彩。

自地中海海岸到印度河河畔，龐大的波斯帝國的首府曾設置多處：最早的帕扎爾格德斯、夏時的艾克巴塔尼、輝煌的佩爾澤波利斯和行政、政治中心所在地的蘇薩，阿格梅尼德王朝的波斯王子大流士正是在蘇薩建立了皇宮。那些用身穿宮廷貴袍、配戴手鐲耳環的弓箭手裝飾的檐壁讚頌著帝王在軍事上的豐功偉績。在皇宮的召見大廳中，宏偉的公牛柱頭立於圓柱之頂。

《弓箭手》檐壁
蘇薩（伊朗），皇宮，
公元前500年
琺瑯磚飾面浮雕，弓箭手高183厘米

《公牛》大柱頭
蘇薩（伊朗），皇宮的召見廳，
公元前520年—公元前500年
石灰岩製品，高552厘米

伊斯蘭藝術

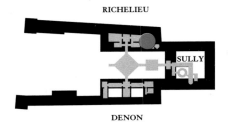

這些作品位於黎希留館中二層
第 8、12 展廳內。

　　伊斯蘭教和伊斯蘭教徒兩個詞，在法語的寫法上只有一個大寫符號之差。前者意味著"服從上帝"，是穆罕默德在七世紀時宣揚的一種宗教信仰；後者是指把不同血統的人聚集在一起，共同承擔伊斯蘭教義並創立伊斯蘭文化。穆罕默德632年去世後甚至不到一個世紀，伊斯蘭教就被大加發揚，創立於從西班牙至印度，包括埃及、敘利亞、土耳其、伊朗等國家在內的廣大地區。以地方傳統藝術為基礎，伊斯蘭藝術側重於裝飾藝術、式樣仿效、植物圖案和描繪王子生活的題材，在所有金屬、陶器或細密畫諸藝術、技術領域都顯示出其獨特之處。

《聖·路易的洗禮》盆
署名為穆罕默德·伊比尼·阿爾·栽恩，
敘利亞或埃及
馬穆魯克藝術，十三世紀末至十四世紀初
鑲嵌著金銀和黑色顏料的
鍛造黃銅製品，高 23.2 厘米

《沙赫·阿巴斯一世和一位年輕侍從的肖像》
署名為穆罕默德·伽贊，伊朗，塞夫衛德藝術，1627 年 3 月 12 日
紙上涂金的水粉畫，27.5 × 16.8 厘米

《孔雀盤》，伊茲尼克（土耳其）
奧圖曼藝術，1540 年－1555 年，
彩釉裝飾的硅質陶瓷製品，直徑 37.5 厘米

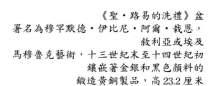

古埃及藝術

賀魯斯，王權之神

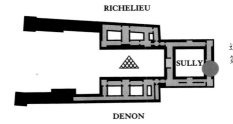

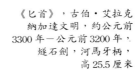
這些作品位於緒利館二層
第20展廳內。

《匕首》，古伯·艾拉克
納加達文明，約公元前
3300年－公元前3200年，
燧石劍，河馬牙柄，
高25.5厘米

《公牛》，
納加達文明，約公元前3150年，
板岩製品，高26.5厘米

《蛇王》石碑或
《賀魯斯》石碑，（局部）
薩卡拉，第一王朝
公元前3100年，
石灰岩製品，高143厘米

　　在古埃及的陵墓或廟宇中用於裝飾圖案的主題為：
陸上和海上的戰爭、溺死和被俘的戰士、踩踏一個活
人的公牛、獅子、原山羊、狗和長頸鹿。這些戰爭場
面或動物形象，是在君主專製政權下的上埃及和下埃
及統一前坐落於尼羅河畔之公國的歷史見証。在上下
埃及統一之際，光明之神，伊茲恩和奧茲利斯的兒子
賀魯斯被選來保護帝國。他還把自己的名字賜予了早
期的君主。第一王朝的第三位法老在自己的墓碑上刻
了"帝射國王（賀魯斯）"的稱號；那個表示宮殿正
面的，被稱為"塞雷克"的裝飾上有一只象徵王朝的
隼；蛇則代表字母DJ或詞DJET"帝射"。

占有特殊地位的文字

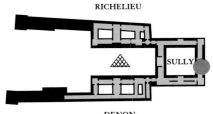

這些作品位於緒利館二層
第 22 展廳內。

《內菲提亞貝石碑》
吉薩，公主墓
古王朝，第四朝代
約公元前 2590 年，
著色石灰岩製品，37.5 × 52.5 厘米

《蹲著的抄寫人》，薩卡拉
古王朝，第四或第五朝代
約公元前 2620 年—公元前 2350 年
著色石灰岩製品，眼睛用岩石結晶
體和大理石鑲嵌著，眼眶用銅材料
高 53.7 厘米

文字在古埃及時占有特殊地位，因為它是用來傳達法
老指示的必經之路。克提帝教導他的兒子梅裡伽爾時說：
"成為一位語言藝匠，你將無往不勝，舌頭就是國王的利
劍！語言是最強大的武器，什麼事都難不倒語言藝術
家"。抄寫之職不論是簡單的抄寫家，還是達觀顯貴，都
享有至高無上的榮譽。也正是這些具有神秘色彩的文字，
可使死者在冥間享用所有佳宵美宴及其所需物品。

法老

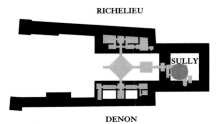

這些作品位於緒利館中二層第1展廳內。

無論是人面獅身像表現出的具有人頭的獅子，還是現實主義手法描繪下的正向神呈獻祭品的人，都代表著埃及法老，他的形象無所不在，表現的方式也應有盡有：他被描述成戰士、祈禱者及在尼羅河沼澤捕捉鳥雀和河馬的王子。在埃及的廟宇及其四周、在浮雕或繪畫裝飾的陵墓上或在描繪的儀式行列中均展現著法老的神聖權威。

《塞科斯特利斯三世的過梁》：
國君向戰爭之神蒙圖呈獻面包祭品
美達木德，中王朝，第十二朝代
公元前 1878 年－公元前 1843 年
石灰岩製品，高 106 厘米

《河馬》，中王朝初期
公元前 2000 年－公元前 1900 年
埃及式上彩釉的陶器製品（用覆蓋著釉的
煤磚晶粒製成），
高 12.7 厘米

《大人面獅身像》
塔尼斯，中王朝，第十二朝代
約公元前 1850 年
粉紅色花崗石製品，高 183 厘米

阿東的美感

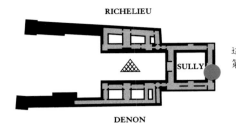

這些作品位於緒利館二層第24、25展廳內。

《阿克納東和內菲裡提的小雕像》
阿瑪那，新王朝，第十八朝代
約公元前1365年—公元前1349年
著色石灰岩製品，高22.5厘米

　　阿門諾菲斯四世登基後，曾使他的王朝政體和宗教基礎動蕩不定。他不崇拜阿蒙，卻偏愛向大地散發空氣和陽光的日輪神─阿東。從此法老命名為阿克納東，意思是"日輪的施舍"。他放棄了底比斯並在阿馬爾納建立了國都。他還將至此尚未人知的原則傳授給藝術家們，要求他們從事對自然主義藝術表現法的研究，以實現對人體的完整描繪，既包含人體的缺陷或肉感，也不乏情感的表達，如夫妻間的溫情。

《內非裡提的雕像》
阿瑪那，新王朝，第十八朝代
約公元前1365年—公元前1349年
紅砂石製品，高29厘米

《女泳者》勺
新王朝，第十八朝代，約公元前1400年，
木製品，長29厘米

《阿克納東的大雕像》（局部）
阿瑪那，新王朝，第十八朝代
約公元前1365年—公元前1349年
著色砂石製品，高137厘米

神聖的字符

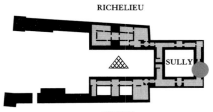

這些作品位於緒利館一層
第16展廳內。

《哈托女神和塞堤一世》
《國王谷》，塞堤一世陵墓
新王朝，第十九朝代
約公元前1303年－公元前1290年
著色石灰岩製品，226×105厘米

《心理停滯》情節：
稱心（局部），死人書
新王朝，第十八朝代
約公元前1500年－公元前1400年
紙莎草製隨葬品

　　尚博良在1824年記述道：
"這些字符雖在形體上各不相同，
表達的意思也常常相反，但它們
代表的仍然是記錄著一系列有規
律概念的符號，是表達一種有固
定意義的、有聯貫思想的字符，
所以它們組成一種真正的文字。"
尚博良，這位埃及學家對如何辨
別這種象形文字的幾種功能具有
真知灼見，他認為：表意文字表
達物體、行為、思想，標音符號
體現由兩個或多個輔音構成的
音，限定詞規定一個術語的含
義。全文中既無標點符號，也無
大寫符號和字間空格⋯

死人的生活

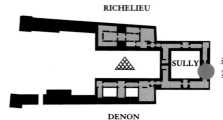

　　如何在冥間繼續生活是埃及人的主要顧慮。
在石棺上、墓碑上或禮拜堂內的牆上，一些圖案
描述著宗教儀式的經過、魔法術語、葬禮的場
面、木乃伊的複活法、死後的日常生活場景、祈
禱神像的場面，如雷‧霍拉克提，即"天頂之上
的太陽"神，頭為頂著日輪的隼頭。當然還不能
忘記這一切應置身於賀魯斯的眼睛保護之下。

《塔佩斯的墓碑》
第二十二朝代，約公元前900年－公元前800年
彩色木板畫，31×29厘米

《掌璽大臣伊蒙尼米爾的石棺》
第二十五至二十六朝代，約公元前700－公元前800年
仿大理石的彩色木板畫，高88厘米

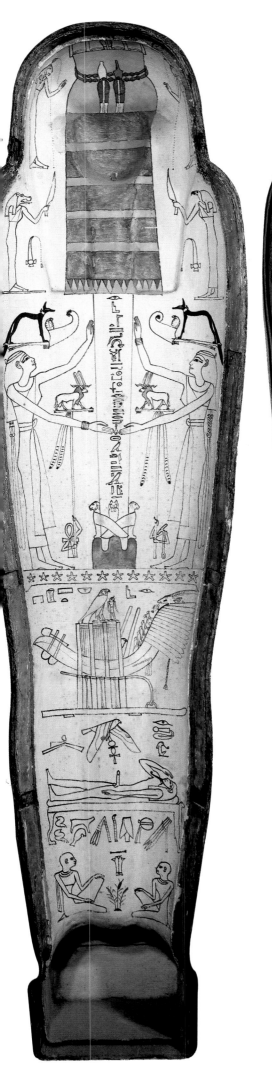

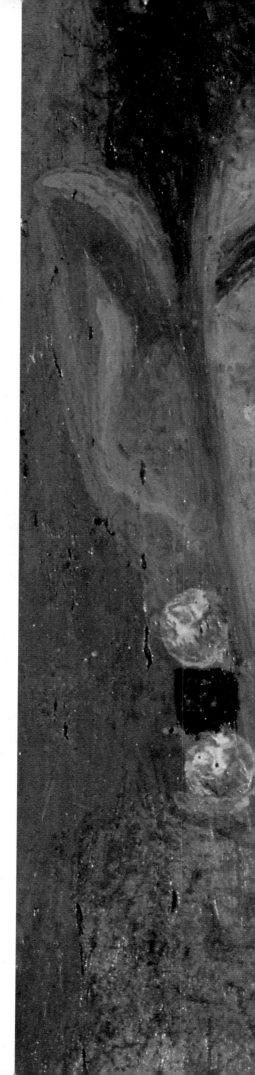

一個被征服的王國

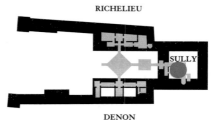

這些作品位於德儂館中二層
第2展廳內。

《一位年輕女人的靈像》
又稱《發尤姆的肖像》
安底諾埃,古羅馬-埃及藝術,
公元二世紀(?)
木板蠟畫

《基督和梅那修士》
巴維修道院的收藏品,
七世紀
木板膠畫,57×57厘米

　　希臘人稱法老領土之上的人為"愛古匹托
瓦人","科普特"一詞就來源於這個詞,意
味著已成為基督教徒的埃及人的文化與文
字。在歷史上埃及曾完全失去過它的獨立。
它於公元前333年被亞歷山大征服後,成了希
臘的領土。當奧克塔夫於公元前31年在阿克
提烏姆製服克雷帕特爾後,它便被並入古羅
馬帝國的領域。後來它又成了拜占庭(東羅
馬)帝國的一部分,最後於641年成為穆斯林
國家。

古希臘、
伊特魯立亞和古羅馬藝術

在城邦中的雕刻藝術家

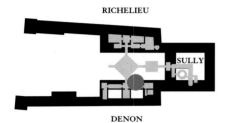

這些作品位於德儂館中二層
第 1 展廳內。

《女人頭部和小雕像殘片》
席克拉德島,
青銅時代,約公元前
2700 年—公元前 2400 年
大理石製品,高 18.5 厘米

《女人的雕像》
又稱《歐克賽女士》,
克裡特島?,古希臘
約公元前 630 年
石灰岩製品,高 75 厘米

《騎士的頭像》
又稱《藍班騎士》
雅典的古衛城,
古希臘,
約公元前 550 年
一公元前 540 年
大理石製品,高 27 厘米

　　如果說在古希臘時代,雕刻藝
術家如畫家、陶瓷製造家一樣,由
於他們是形體的發明家、創造者,
並從諸神那裡獲得了寶貴的真知灼
見和高超的技術而被人們尊敬,那
麼他們也曾被認為是一些普通的藝
術家,從事手工藝術操作,在作坊
中鑿切大理石或澆鑄青銅,並依訂
購而做工。這些雕刻藝術家渴望能
享有語言藝術家、詩人及哲學家所
享有的榮譽,於是逐步在作品上簽
名,並在古衛城安置了一些關於宗
教信仰的雕像。

雅典人的勇猛

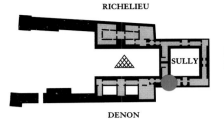

這些作品位於緒利館一層
第 7 展廳內。

"歌頌我們國家之強大的卓越作品和見証物到處可見,這會使現在和將來的人們都對我們羨慕不已,我們不需要一位荷馬史詩詩人為我們歌功頌德,也無需任何人用優美動人的語調作現場講解,因為所有解釋都無法表達出作品本身的美感。我們的豐功偉績是難以形容的:我們的膽識迫使所有的大陸和海洋都向我們敞開它們的大門,我們到處都留下不朽的紀念物。" 在伯裡克理斯(他的統治長達十五年)對雅典作這番讚揚時,帕提儂神廟剛剛建成,它的城市規劃、建築技術、雕塑和繪畫藝術使雅典城邦錦上添花。

具有紅色圖象的《萼形雙耳爵》
被認為係尼歐比德所作
古代作坊產品
約公元前 460 年
陶器,高 54 厘米

《雅典娜女神節上的列隊》的局部
帕提儂神廟的檐壁
雅典的古衛城,
古希臘
約公元前 438 年—公元前 431 年
大理石製品,96 × 207 厘米

神的翅膀

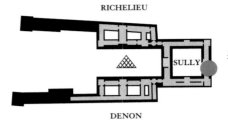

這些作品位於德儂館二層展廳內。

勝利女神尼刻常常以展開雙翅、昂立船頭的形象出現，象征著把戰爭引向勝利。勝利女神的翅膀還具有其它神性，把天空與大地相連，使神與人相結合，令人間與冥間勾通。這些勝利女神是：彩虹化身的伊利斯，常常由他的兄弟塔那托斯陪伴的睡眠之神許普諾斯，由北風之神玻瑞阿斯追隨著的風之王厄科爾，及微風之神澤費羅斯，還有愛神厄羅斯。赫耳墨斯的翅膀上則懸掛著一雙鞋，使這個傳令使、商人和盜賊的保護神成為傳遞信息的最快使者。

《勝利女神的小雕像》
密裡納，希臘化時代的藝術
約公元前二世紀初期
陶器，高 27.8 厘米

《勝利女神的雕像》
薩摩特剌刻島，希臘化時代的藝術
約公元前 190 年
大理石製品，高 328 厘米

人和神的裸體

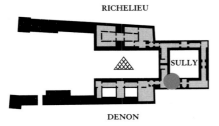

這些作品位於緒利館一層
第 12 展廳內

　　無論是英雄的塑像，還是女子的雕像，希臘雕刻家都用來讚美人的裸體。但這個觀點並非一直就如此，正如柏拉圖公元前四世紀在《共和國》中記述的那樣："不久之前，希臘人還同當今大部分無知人士那樣，認為光天化日之下的裸體人讓人覺得可恥和可笑，當克裡特島人和後來的拉棲第夢人把裸體應用於體操時，人們儘情地嘲諷這個新鮮事物。…但人們也從中發現把身體的某一部分遮掩起來，不如把它們裸露出來更為美妙，智慧揭示了美感，驅散裸體在人眼中呈現的可笑之處。"

《戰士》
小亞細亞，
希臘化時代的藝術
公元前二世紀的下半葉
青銅製品，眼睛嵌銀，
乳頭鑲銅，高 25 厘米

《斗士》
又稱《包傑斯的斗士》
安提姆，希臘化時代的藝術
約公元前 100 年
大理石製品，高 157 厘米

《米羅的維納斯》
美洛斯，希臘化時代的藝術
約公元前 100 年
大理石製品，高 202 厘米

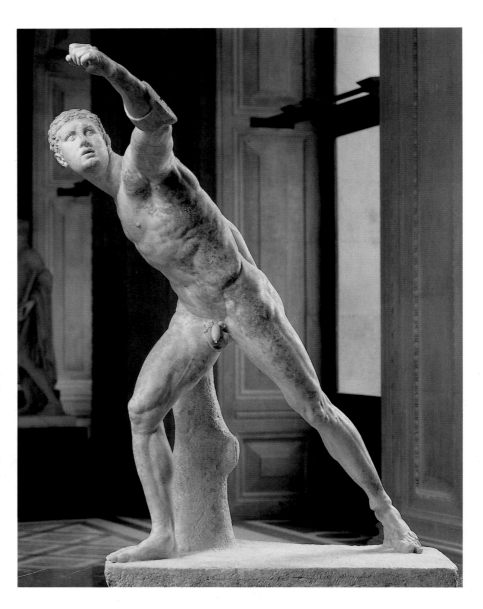

切維台利的夫妻

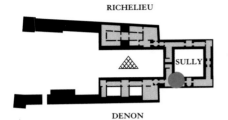

RICHELIEU

SULLY

DENON

這些作品位於德儂館一層
第18展廳內。

壁畫，又稱《康帕納板》，（局部）
切維台利，約公元前530年—公元前520年
著色陶器，高118厘

　　在上個世紀，羅馬當鋪的負責人也是一位卓有成見的藝術品收藏家，他收藏了許多文藝複興前期的繪畫和古典藝術作品。但是這位康帕納侯爵因舞弊（他把自己的財產典押得高於實際價值）而被判刑到戰船上行苦役，他的所有財產也因此被充公和出賣。多虧他的岳母賀爾旦斯·科爾努利用她與法國的關係而減輕了刑罰：拿破侖三世把他的劃船苦役改為流放，並為了裝飾羅浮宮而購買了他的大部分收藏藝術品，特別是在切維台利發掘到的隨葬品。

《夫妻之棺》
切維台利，約公元前510年
著色陶器，高114厘米

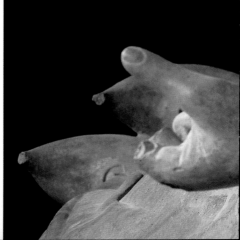

權力藝術

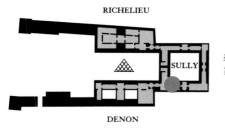

這些作品位於德儂館一層
第23展廳內。

《哈德連帝王的肖像》
羅馬，二世紀上半葉，
青銅製品，高43厘米

《戰神田野上的清點儀式》，局部，
又稱《多米提突斯·阿爾謙與
巴爾布斯的祭壇》，
一組雕塑的下部圖案，
羅馬，公元前二世紀末，
大理石製品，78 × 559厘米

"其他人都知道運用最靈活的手段使青銅藝術煥發出生命的靈感，並使大理石雕像顯示出逼真的面孔。而你，羅馬人，只懂得建立政權。你的藝術在於發佈和平條約，寬容戰敗者及馴服驕傲者。"維吉爾在《埃涅阿斯紀》中曾這樣描述過。這位詩人在凱撒之子奧古斯特的統治時期為歌頌神聖羅馬帝國的意識形態而儘忠效勞。

法國繪畫藝術

畫家的繪畫方法

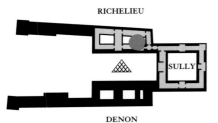

這些作品位於黎希留館三層
第 1、3、6 展廳內。

法國畫派
《讓·勒崩肖像》（約 1350 年）
（木板膠畫，60 × 44 厘米）

讓·馬魯埃爾
《聖母哀子圖畫》，
又稱《圓形大悲切》
（約 1400 年）
（木板膠畫，
直徑為 64.5 厘米）

讓·富凱
《夏爾七世的肖像》
（約 1445 − 1450 年）
（木板膠畫，
85.7 × 70.6 厘米）

　　中世紀被稱之為"伊瑪吉埃"的畫家使用的技巧隨畫派的不同而改變：每個畫家體驗不同的手法而擁有自己的秘訣。對于木板膠畫，顏料是基于土、無機氧化物、動物及植物物質而製成的；黑色素可從扁桃莢、焚燒過的葡萄枝或碳黑中獲取。這些顏料在水中攪碎、調勻和軟化后，再加入膠皮，有時也可摻入石蠟或用醋調和的蛋黃；有時還要使用阿拉伯樹膠、蜂蜜及無花果樹汁…。畫板為組合的木板，木料依地區而定：在北方、如法國、弗朗德勒及荷蘭用橡木，羅瓦爾河以南用胡桃木，德國用椴木、意大利用揚木…。

LE TRESVICTORIEVX ROY DE FRANCE

CHARLES SEPTIESME DE CE NOM

哀歌

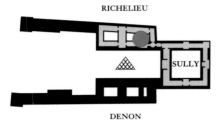

這些作品位於黎希留館三層第4展廳內。

昂蓋朗·卡爾通，《阿維尼雍新城的聖母哀子圖》（約1455年）
（木板膠畫，163 × 218 厘米）

　　作者把畫中聖人的名字寫在聖人頭頂的光環中心，無疑是為了讓參觀者能辨認他們，甚至艱難地一個個字母地念出這些名字。這就是把兒子的尸體放在膝蓋上的聖母哀子圖，這就是聚集了福音傳教士聖約翰、瑪德蘭娜和一位捐贈人的聖母的哀歌。這首哀歌與刻在描繪著天國的耶路撒冷的金色背景上方的詞句遙相呼應，它們出自於耶利米哀歌的首印本："所有從這條路上經過的人們啊，請過來看一看，世界上還有什麼樣的痛苦能與我忍受的劇痛相比呢？"這一段話道出了耶穌基督之母心中的痛苦。

袒露的乳房

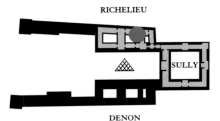

這些作品位於黎希留館三層
第10展廳內。

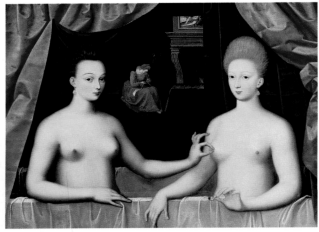

　　文藝複興時期國王寵妃的裸體畫賦予了楓丹白露派藝術家無限美感。其中一位無疑是普瓦提埃的狄安娜,她是亨利二世的情婦,蘊藏著女獵神的纖細優美的魅力。另一位是加布莉埃爾·德斯特雷,亨利四世的愛妃,她拿著一只意味著愛情紐帶的戒指。她的妹妹捏著她的乳頭,預告著她即將成為母親。在幕後,一位婦女正在為將要出生的國王之子縫製衣服。這幅畫是安寧、柔美或生育預告的寫照。乳房的變化顯示出婦女所處的兩種不同的狀態:"妻子,母親,露出你的乳房,在我們爭奪的這個寶物上,大自然添了一對乳頭,一個屬於兒子,另一個歸於父親"一首詩曾這樣讚美過……。

楓丹白露畫派
《浴中的加布莉埃爾與她的一位姐妹》
(約1595年)
(木板油畫,96×125厘米)

楓丹白露畫派
《女獵神狄安娜》(約1550年)
(畫布油畫,191×132厘米)

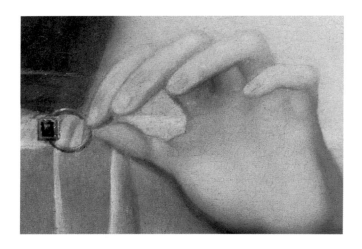

玩紙牌，耍手指

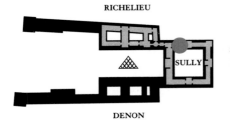

這些作品位於緒利館三層
第28展廳內。

喬治·德拉圖爾
《方塊Ａ的作弊者》（約1635年）
（畫布油畫，107×146厘米）

"游戲、酒和國際象棋是對我們靈魂的消耗"，德拉圖爾當時曾這樣說過。十七世紀時期盛行玩牌是一椿無可爭議的事，某位拉馬裡尼先生發表了《游戲研討之家》，這是第一部關於游戲規則的集子。不過，人們很快地開始考慮道德品尚問題，這種游戲首先是不是一種罪孽呢？一本小冊子刊登了一篇文章，建議對這個論題進行反思，主題圍繞著戴歐迪姆先生對巴黎的貴夫人提出的一個問題："基督教問題牽扯到游戲，我們要知道一位嗜愛游戲的人是否能可以自我解脫，特別是婦女"。但所謂的游戲即所謂的作弊，手勢與眼神當中，隱藏著一個同謀。在十七世紀時人們又對作弊法加以改進："作弊"一詞從此意味著一種游戲作法。

燭光

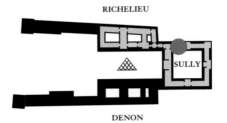

這些作品位於緒利館三層
第28展廳內。

位於畫面中心的一束蠟燭火苗，是為了使一個人影在深夜中呈現出來，還是與之相反，為了表達那些微小的細節，這是畫家探索的問題。一個女人的側影、一只死人的頭顱、幾本桌上的書、一個老翁的前額、或一只孩子的白皙細嫩的手，這些都在油畫《懺悔中的瑪德蘭娜》和《木匠聖·約瑟》中體現出來了。在這些畫中，虔信與陰影結合，崇拜與燭光相映。

喬治·德拉圖爾《懺悔中的瑪德蘭娜》，
（約1640年－1645年）（畫布油畫，128×94厘米）

喬治·德拉圖爾《木匠聖·約瑟》，
（約1640年）（畫布油畫，137×102厘米）

寫實畫家

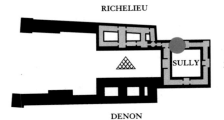

這些作品位於緒利館三層第29展廳內。

在上世紀中葉，人們甚至忘記了勒南的名字，只是後來作家、評論家及現實主義的捍衛者，也是多米埃和庫貝爾的朋友，尚弗勒裡發現了勒南的作品並編寫勒南家族兄弟的傳記：路易、安托萬和馬鳩三兄弟是來自拉昂地區、立足於巴黎的畫家，成功的機遇與他們無緣，他們在作品中所描繪的，生活在舊製度下的法國純朴農民的謙遜形象被認為過於"現實化"。但勒南兄弟的創作並非如此。他們在聖─日爾曼德─普雷的畫室中製作出了一幅幅贏得了高度評價的油畫：包括朴素不朽的農民題材、上流社會的人物肖像、祭台及其他神話故事情節的描寫。

路易或安托萬・勒南
《室內的農夫一家》，（約 1640 年─1645 年）
（畫布油畫，113 × 159 厘米）

"我不曾忽視任何一件事"

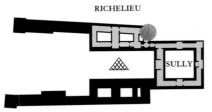

這些作品位於黎希留館三層
第 14 展廳內。

尼古拉·普森《自畫像》,(1650年)
(畫布油畫,98×74厘米)

尼古拉·普森
《劫掠薩賓婦女》,(約1637年
－1638年)
(畫布油畫,159×206厘米)

尼古拉·普森
《詩人的靈感》,(約1630年)
(畫布油畫,182×213厘米)

　　尼古拉·普森在1665年3月1日,他去世前幾個月的
一封信中寫道:"我不曾忽視任何一件事"用以說明他的
藝術生涯,這是他的作畫原則之一。什麼是繪畫上的模
仿?"這是用線條和顏色在一畫板上對人間的景物進行仿
造,以讓人滿意的結果告終。"如何繪畫?"要從物體的
位置開始,然後勾畫、描飾,賦予美感、優雅感、活潑
感,配以服飾,使其真實性與可鑒別性到處可見,這最後
幾點非畫家不可為。"

風景與歷史

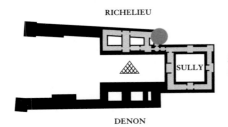

這些作品位於黎希留館三層
第 15 展廳內。

克洛德・日烈，也稱洛蘭
《夕陽下的海港》，（1639 年）
（畫布油畫，103 × 137 厘米）

克洛德・日烈，也稱洛蘭
《鄉村節日》，（1639 年）
（畫布油畫，103 × 135 厘米）

　　"畫的等級製度"統治著
十七世紀的繪畫藝術界，它
把繪畫的題材分為高超類和
平庸類，它促使藝術大師裝
扮為歷史學家、倫理學家、
修辭專家、教育家和詩人。
他們的作品首先要能塑造人
的靈魂，並從聖經、歷史或
神話故事中獲取真知。而風
景畫、肖像畫、風俗畫或靜
物畫，則屬平庸類。在這樣
的等級劃分之中，洛蘭通過
對大自然的理想再現給風景
畫注入了新的藝術生命力，
使古代傳說的形象表現與栩
栩如生的大自然景色融為一
體。

國王與他的藝術家

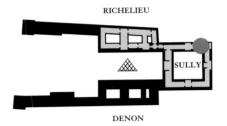

這些作品位於緒利館三層
第 31、34 展廳內。

亞特森・裡戈
《路易十四，法國國王》，（1701 年）
（畫布油畫，277 × 194 厘米）

夏爾・勒布倫
《掌璽大臣》，（約 1655 年—
1657 年）
（畫布油畫，295 × 351 厘米）

　　在維幔、白鼬皮飾帶、刺繡品和花邊飾物的炫耀之中呈現出威嚴的路易十四，長達七十多年之久的生命路途使他在凡爾賽舞台上譜寫了一組藝術的樂章。為此，路易十四招聘了建築大師勒沃、阿爾端・芒薩爾、羅貝爾・德・科特，園藝大師勒諾特爾，享有權力僅次於國王的掌璽大臣塞吉爾保護的畫家勒布倫，還有科易佩爾、米尼亞爾、裡戈三位畫家，以及雕刻家吉拉爾東和考依瑟沃克斯，雄辯家博絮埃，詩人布洛瓦，劇作家莫裡哀、高乃依和拉辛，音樂家呂裡、夏龐蒂埃、庫普蘭和馬雷等。

熱衷於顏色的人

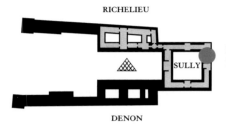

這些作品位於緒利館三層
第 36、38 展廳內。

讓・安托萬・瓦托
《到西戴島朝聖》(1717 年)
(畫布油畫，129 × 194 厘米)

讓・安托萬・瓦托
《丑角演員》(約 1718 年－ 1720 年)
(畫布油畫，184 × 149 厘米)

　　瓦托是馬賽爾・普魯斯特喜愛的畫家之一，馬賽爾・普魯斯特十分驚嘆地"看到瓦托經購買或朋友贈送收集了所有意大利喜劇的演出服裝；他的一大樂趣是當他的朋友來訪問他時，他讓他們穿上戲服。他請求他們換上這些服裝，當看到這些真人穿上如此美麗的戲服微笑著、互相觀賞著和談論著的時候，他感到無比的欣慰，並讓他們來回走動，這一切總使他沉浸在輕雲薄霧似的生活當中，使他那熱衷於光線和顏色的靈魂得以滿足。當他的朋友離開後，他便把已開始的人物繪畫縮小，并把它們加入到更偉大的構圖中。"

家中的惬意

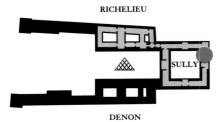

這些作品位於緒利館三層
第 40 展廳內。

讓·巴蒂斯特·夏爾丹
《戴圓框眼鏡的自畫像》（1771 年）
（在灰藍紙上的彩色粉筆畫，45.9 ×
37.5 厘米）

讓·巴蒂斯特·夏爾丹《煙斗和喝水壺靜物》，
也稱《吸煙室》（1737 年）
（畫布油畫，32 × 42 厘米）

讓·巴蒂斯特·夏爾丹
《飯前祈禱》，（約 1740 年）
（畫布油畫，49.5 × 38.5 厘米）

　　夏爾丹致力於日常生活中、家庭范
疇內事物的體現。他對人物和物體的描
寫一樣重視。如果用"靜物"這個術語
來評價他的一些作品，那么他在這個術
語中刪除了那些對無聲生命的概念十分
敏感的定義，如"休止的物體"或"安
靜的生命"。從前在其他的國家也有著
不同的定義，如意大利文藝複興時期的
"自然物體"，西班牙的"鮮花和廚房
的角落"和北方國家的"停滯的物體"。

向往放縱的快樂

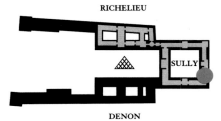

這些作品位於緒利館三層第48展廳內。

讓·奧諾雷·弗拉戈納爾
《洗澡的少女們》，（約1772年－1775年）
（畫布油畫，64×80厘米）

弗朗索瓦·布歇
《狄安娜出浴》，（1742年）
（畫布油畫，56×73厘米）

　　弗拉戈納爾對從事皇家訂購、藝術院和畫展所需的繪畫工作嗤之以鼻，他在收藏家和資助家的援助下大揮畫筆，他那置於官方之外的藝術生涯同樣充滿了輝煌的成果。如果說他的老師、蓬巴杜夫人寵愛的畫家布歇，通過神話故事中裸體美女裝飾內室和小客廳，體現了路易十五時期宮廷的藝術之美，那麼弗拉戈納爾則讓他的作品充滿生命、肉體美和快樂。畫上沒有箭筒、獵物、維幔等點綴物：在一片放縱的快樂中，他以粗獷而明澈的筆調描繪了正在洗浴的少女形象，各種顏色交相輝映，遠看似蘆葦和樹葉，近看則截然不同。

公開的誘惑

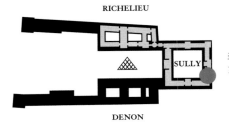

這些作品位於緒利館三層
第 48 展廳內。

讓・奧諾雷・弗拉戈納爾
《門栓》，（約 1778 年）
（畫布油畫，73×93 厘米）

讓・奧諾雷・弗拉戈納爾
《靈魂之神普敘刻與愛神》，
（水彩畫，32×45 厘米）

讓・奧諾雷・弗拉戈納爾
《靈感》，（1769 年）
（畫布油畫，80×65 厘米）

　　弗拉戈納爾的愛好者用"精湛高超的技藝、自由奔放的筆觸、生動大膽的構思"來評價他的藝術品。這些作品或是對神奇飄渺的人物的讚美，或是對誘惑、打趣與情愛場面的展現。因此畫家在這幅畫中毫不遲疑地在一間幾乎上了門閂的臥室中心放了一只床，在床單的扯動下，在顏色與形狀的變換中床顯得混亂不堪。有些人則不大喜歡他的作品，一位筆名為"達徒易先生"的評論家指責這幅畫"是登峰造極之物，讓人感到震驚，受到精神上的鞭撻，沒有任何價值…"。

"要在畫上宣傳道德"

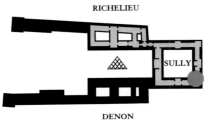

這些作品位於緒利館三層
第 51 展廳內。

讓・巴蒂斯特・格瑞茲
《鄉間的調解》，（1761 年）
（畫布油畫，92 × 117 厘米）

讓・巴蒂斯特・格瑞茲
《打破的水罐》，（1772 年－1773 年）
（畫布油畫，108.5 × 86.5 厘米）

　　格瑞茲瘋狂地夢想著實現一件事：獲得屬
於偉大畫家尼古拉・普森派系的歷史畫家的
高貴稱號。但他的成就卻歸功於那些鄉村風
味的畫面描寫，在這些畫中，他大力渲染了
哀婉動人的姿態和農民家庭中傳統美德催人
淚下的效果，如孝心、父權、婚姻。因此，
格瑞茲十分懊惱，但他的崇拜者不乏其人，
其中最虔誠的一位是狄德羅，他曾這樣鼓勵
過作家："我的朋友，鼓足勇氣，要像以往
那樣，一直堅持下去，在畫上宣傳道德。"

古代與帝國

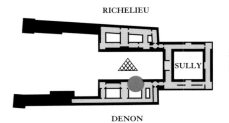

這些作品位於德儂館二層
第 75 展廳內。

雅克・路易・大衛
《1804 年 12 月 2 日拿破侖一世加冕
禮》，（1806 年－1807 年）
（畫布油畫，621×979 厘米）

雅克・路易・大衛 《薩賓婦女》，（1799 年）
（畫布油畫，385×522 厘米） 局部畫見下一頁

　　薩賓婦女的故事敘述的是一場家庭糾
紛：古羅馬人為了在他們出生的國土上傳
宗接代，搶掠薩賓婦女為妻。三年之後，
薩賓人奮起報仇，他們來到慘遭掠奪之地
向古羅馬人發動戰爭。此時薩賓婦女勇敢
地站在兩軍之間，為一方是她們的丈夫，
另一方是她們的父親與兄弟的兩族人調
解。大衛在此借古喻今，這位資產階級時
期的雅各賓黨人，新古典主義的領率，通
過他這個1799年的作品來而捍衛他的繪畫
主張：繪畫裸體英雄。"我的意願是想通
過這幅畫精確地表現出古代的道德風尚，
以致於即使古希臘人和古羅馬人來參觀我
的畫時，也會覺得所描繪的風俗習慣與他
們的生活習慣相符。"數年之後，大衛轉
向對當時現實的描寫：為讚頌帝國效勞，
忘記了過去的立場…。

蒙受屈辱的畫家

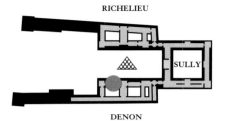

這些作品位於德儂館二層第 77 展廳內。

太奧道爾·傑爾科
《梅杜薩之筏》，（1819年）
（畫布油畫，491 × 716 厘米）

太奧道爾·傑爾科
《梅杜薩之筏》的草圖，（1819年）
（畫布油畫，37.5 × 46 厘米）

　　曾為新古典主義導師的大衛這樣抱怨道："這幅畫出自何人之手，我不懂這種繪畫方法"。一位評論家困惑地問："中心在何處？"。另一位敏銳的觀察家指出："這幅畫有一個缺點，這就是畫家忘了它應是一幅畫"…。傑爾科之所以蒙受這些指責並引起非議，是因為他竟敢抬高風俗畫的價值，與歷史畫相提並論。是因為那些用濃厚色彩實現的激烈、對比鮮明的景象和用淡褐色與暗綠色描繪的軀體。

浪漫主義的色彩

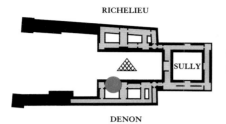

這些作品位於德儂館二層
第77展廳內。

歐仁・德拉克洛瓦《阿爾及爾婦女》，（1834年）
（畫布油畫，180×229厘米）

　　1852年2月23日歐仁・德拉克
洛瓦在《日記》中上寫道："不善於
運用色彩的畫家，不寔作畫，而是
涂色。所謂的繪畫，在不想作一單
色畫的情況下，"把顏色的使用，
無論是明暗對比度，還是比例度和
透視法，均作為必須的基礎。繪畫
中對於比例度的使用如同雕刻一樣
重要；透視法確定其輪廓；明暗對
比度給出由背景上的陰影和亮度的
搭配形成的立體感；色彩則是生命
的體現。"

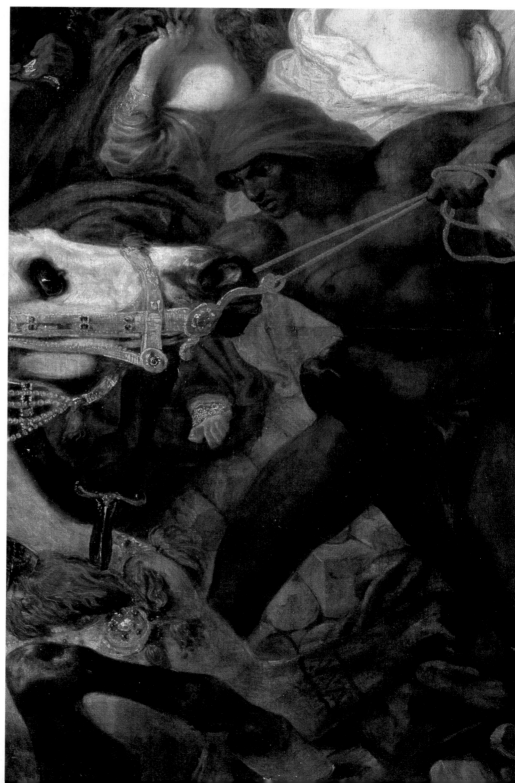

歐仁・德拉克洛瓦
《薩達納帕爾之死》(1828 年)
(畫布油畫,392 × 496 厘米)

自由女神引導著德拉克洛瓦

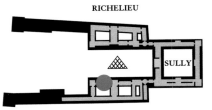

這些作品位於德儂館二層
第 77 展廳內。

歐仁・德拉克洛瓦《1830 年 7 月 28 日，
自由女神引導人民》，（1830 年）
（畫布油畫，260 × 325 厘米）

作家大仲馬回憶道："7 月 27 日，我在阿爾
戈爾橋那邊遇見了德拉克洛瓦，他對我指著那些
只能在大革命的日子裡才能看到的英勇戰士，大
路上刀光劍影的場面使德拉克洛瓦感到極端的恐
懼和不安。但當他望見巴黎聖母院上飄揚著三色
旗時…，激動不已，激情戰勝了恐懼，對最初使
他畏懼的人民大加頌揚。"數月之後，畫家創作
了一幅大型巨畫《光榮的三天》，以紀念1830年
巴黎人民廢黜查理十世的那三天。

追隨的線條

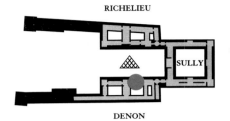

這些作品位於德儂館二層第75展廳內。

泰奧多裡尼·夏斯裡奧
《埃斯特爾的梳妝》，（1841年）
（畫布油畫，45.5×35.5厘米）

讓·奧古斯特·多米尼克·安格爾
《大宮女》，（1814年）
（畫布油畫，91×162厘米）

　　素描還是色彩？誰為主導？這是十九世紀畫家爭論的一個課題。美術學院最有權威的教授安格爾斬釘截鐵地作出了第一種選擇：素描是藝術的真誠表現，"素描本身包含著畫面的四分之三點五的強度。如果我要在我的門上掛一個標簽的話，我就在標簽上注明："素描派"，我敢肯定我會培養出一批畫家。"因為"優美的素描圖形是帶有圓滑曲線的平面圖，是堅實豐滿的圖形，賦予圖形健康美是十分重要的"。他的學生夏斯裡奧沒有追隨他那以線條為首位的繪畫方法，因此受到他的指責："這是一個大逆不道之徒，與色彩派同流合污。"

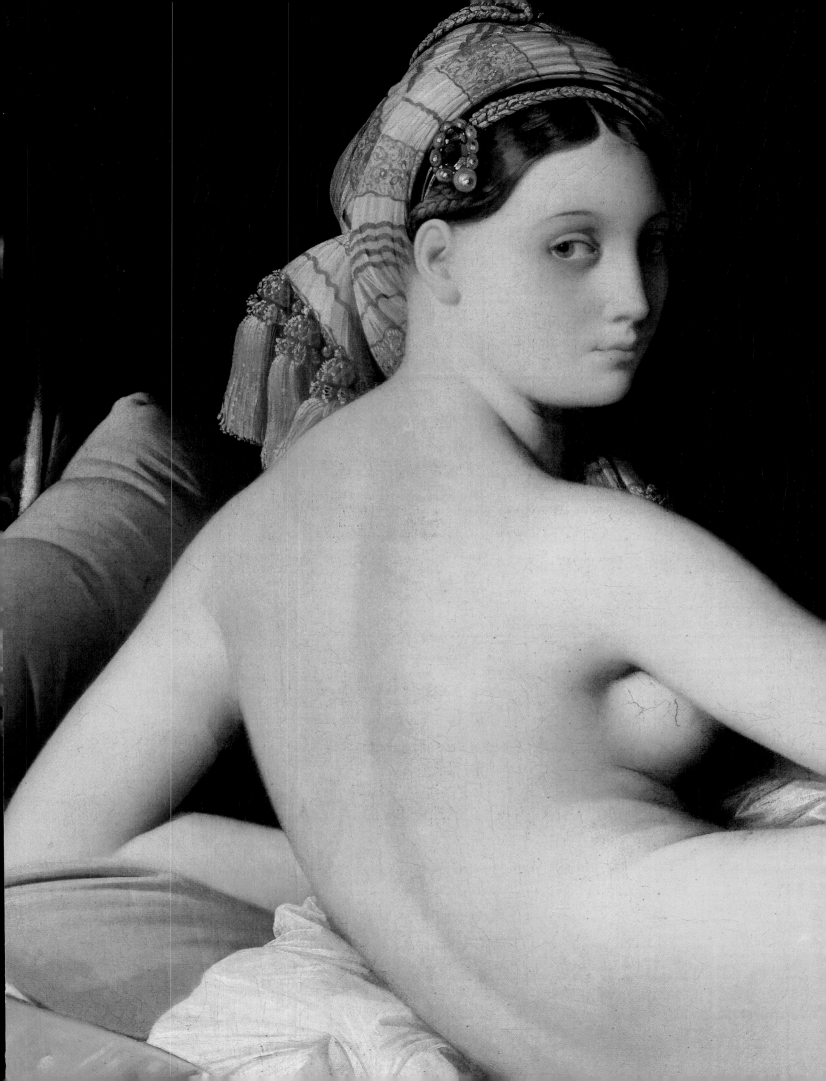

浴女

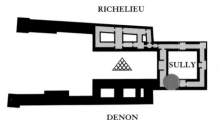

這些作品位於緒利館三層
第 60 展廳內。

讓・奧古斯特・多米尼克・安格爾
《土耳其浴室》，（1862 年）
（畫布油畫，直徑 110 厘米）

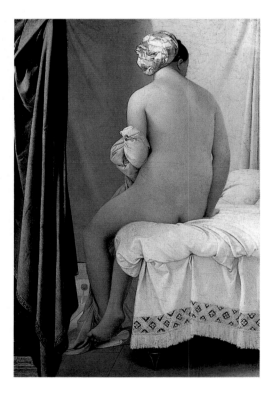

讓・奧古斯特・多米尼克・安格爾
《瓦平松的浴女》，（1808 年）
（畫布油畫，146 × 97 厘米）

　　安格爾在八十二歲時完成了這幅畫：是他自《瓦平松的浴女》後半個世紀以來對於女性裸體繪畫的綜合。毫無疑問，他為自己能達到藝術生涯的終點而感到十分的幸福，他在簽名旁注明他了的年齡。這是對潤澤圓滑的肌膚、倦懶柔和的姿態、放蕩不羈的形體的大肆渲染，伸展的四肢是圓形圖案的最好匹配。這幅反應穆斯林妻妾成群之生活的作品不被皇后歐仁妮賞識，堆積在一起的東方女性裸體令她作嘔，也沒有得到博德萊爾的讚同，人體在解剖學上的變形讓他窒息："這幅畫向我們展示出一個偏向一旁的肚臍，一只挺向腋窩的乳房，以及一條令人困惑的大腿。"

自然景象的回憶

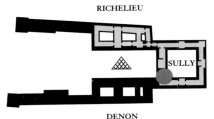

這些作品位於緒利館三層
第73展廳內。

埃米爾·左拉在1866年透露:"如果科羅先生同意在畫上把主宰山林水澤的女神徹底消滅干淨,並讓農女取而代之,那麼我將瘋狂地迷上他的作品。"顯然,作家沒有遇見過畫家。其實在科羅的組畫中,描繪與否詩情畫意的人物無關緊要,重要的是他對變幻莫測的光、磷光反射的水和流暢明快的空氣的敏感性。年輕的藝術家西斯萊和莫奈正是在這種敏感度的感召下很快便形成了印象派畫家體系。這些印象派畫家十分欣賞如他們前輩所作的對於自然景色的描繪。

卡米耶·科羅
《靜泉的回憶》,(1864年)
(畫布油畫,65×89厘米)

卡米耶·科羅
《埃斯特別墅在蒂沃裡的庭園》,(1843年)(畫布油畫,43.5×60.5厘米)

卡米耶·科羅《藍色中的女人》,(1874年)(畫布油畫,80×50.5厘米)

意大利繪畫藝術

老師與學生

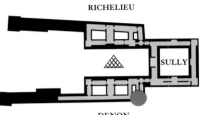

這些作品位於德儂館二層第3展廳內。

喬托
《聖‧法蘭西斯的五傷》，（約1295年－1300年）
（木板膠畫，313×163厘米）

契馬布埃
《聖母和聖嬰耶穌》，（約1270年）
（木板膠畫，427×280厘米）

　　據傳說，有一天契馬布埃發現喬托在畫自己羊群裡的母羊，甚為賞識，於是決定把他收留為佛羅倫薩畫室中的弟子。在老師與學生的繪畫間，開創了一個繪畫手法演變的新紀元，這就是十四世紀，即意大利的十三世紀時期。契馬布埃表現的是對莊嚴聖母的讚頌，他依照拜占庭傳統的規定用金色背景突出聖母的形象。而喬托則利用畫面的凸起感、自然景色和空間的廣度為謙卑聖人增加光彩，畫中展現出一座遠遠望去的山、幾棵清晰可見的樹和一些不同種類的鳥。

為聖母而設的祭壇裝飾屏

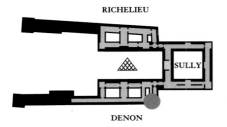

這些作品位於德儂館二層第 3 展廳內。

弗拉・昂傑裡柯
《聖母加冕禮》，（約 1430 年－ 1435 年）
（木板膠畫，2.09 × 2.06 米）

　　這是昂傑裡柯為裝飾斐索勒的聖多牡尼考修道院而精心繪製成的，祭壇後部裝飾屏的上部表現的是聖母加冕禮，下部底飾描繪的是聖人的傳說。多米尼克為此撰寫了一部反對異端分子的著作，並把它送給一名異端分子以顯示其基督教信仰的強大威力。這位異端分子不相信，當著身邊幾位朋友的面，用火對書進行考驗，果然此書經三次火燒後毫無損壞，從而証實了這部奇著能耐火…。惱羞成怒的異端份子想隱瞞這一不幸的事實，但一位在場的勇士作為証人向人們講述了這本書的奇跡。

朝廷和旅游畫家

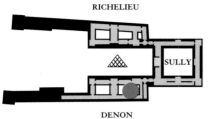

這些作品位於德儂館二層第4展廳內。

意大利十五世紀文藝複興時期的畫家是旅游畫家，他們從一個宮廷到另一個宮廷，為王子畫像，滿足其訂購要求。因此，前往斐拉雷的比薩內羅為戴斯泰宅邸的一位公主作了一幅肖像，以石竹和蝴蝶為背景。途經里米尼的法蘭西斯卡為領主馬拉貼斯塔描繪了他的肖像，其幾何結構極為嚴謹。到達威尼斯的達麥西拿則在那裡表現斯佛栽·摩里阿·斯佛舟，巴裡公爵。畫家們就這樣從一座城市到另一座城市勾畫出意大利文藝複興時期的歷史。

法蘭西斯卡
《馬拉貼斯塔的肖像》，（約1451年）
（木板油畫，44 × 34 厘米）

比薩內羅
《戴斯泰宅邸公主像》，（約1436年－1438年）
（木板油畫，43 × 30 厘米）

昂托內羅·達麥西拿
《僱佣兵隊長》，（1475年）
（木板油畫，36.2 × 30 厘米）

透視法的成功

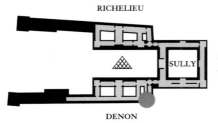

這些作品位於德儂館
二層第3展廳內。

保羅・烏切洛
《聖羅馬諾之役》，（約1455年－1456年）
（木板膠畫，182×317厘米）

　　從十五世紀開始研究
的透視法技術使畫家能
創造出畫面結構的寬度
和深度。烏切洛大膽地
應用了透視法的新技
巧，使線性圖面中所有
的曲線匯集於唯一的沒
影點，空間圖面以交替
使用並由強變弱的顏色
為基調。透視法的成功
之作當推《僱傭兵隊
長》，它描繪的是戰勝了
錫耶納人的佛羅倫薩的
僱傭兵隊長 — 米歇萊特
歐・達・考提克諾拉。

比薩內羅
《兩匹馬》，十五世紀上半葉
（借助墨水和黑石作的羽筆畫，
20×16.6厘米）

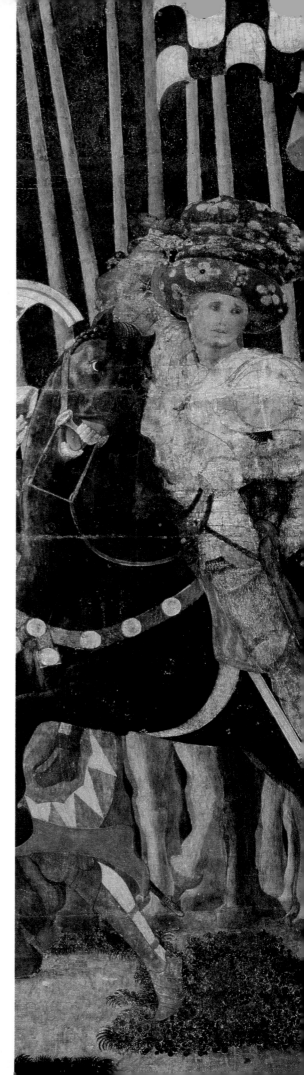

熱衷於古老建築

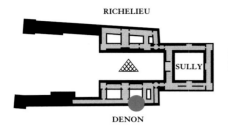

這些作品位於德儂館二層
第5展廳內。

昂德列阿·芒泰尼亞
《聖·塞巴斯蒂亞諾》，
（約1480年）
（畫布膠畫，255 × 140 厘米）

芒泰尼亞為了証實他對古老建築的熱
衷，對透視技術的嫻熟，以便向基督徒殉難
者致敬，他對他的贊助者蒙圖厄的龔哉柯貢
獻出一幅古老文化的畫卷。他研究、發明、
構成了《聖·塞巴斯蒂亞諾》：一個已成為廢
墟的帶有渦紋和葉板的柱廊，一些建築物的
殘片，一個雕刻基座和一座置於背景中的城
市，它由古老的建築和同代建築構成，伸展
在聖徒的背後，陪襯出聖徒堅忍箭刺疼痛的
英雄氣派，聖徒的胸部具有古代雕塑的美。

精細畫家

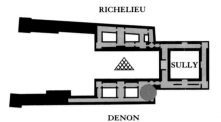

這些作品位於德儂館二層
第2展廳內。

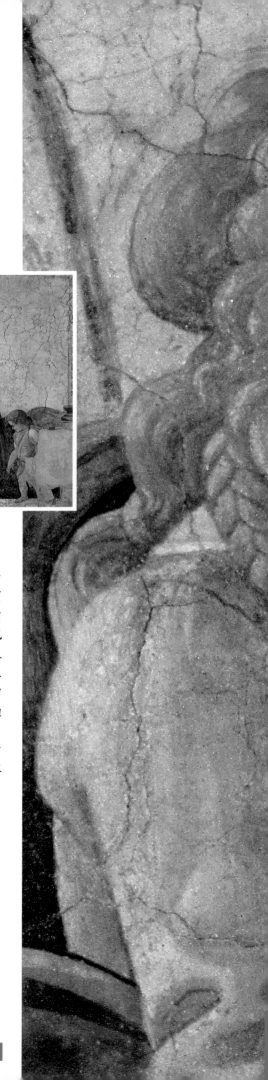

波提切裡
《維納斯和優美女神送禮給一位年輕
的女孩》（約 1480 年－ 1483 年）
（壁畫，211 × 283 厘米）

吉爾蘭戴鷗
《老人和小男孩的肖像》
（約 1488 年）
（木板膠畫，63 × 46 厘米）

　　達芬奇曾這樣指責過波提切裡：
"不懂得繪畫藝術各個范疇的畫家不是一
個十全十美的畫家，比如有人對風景畫
不感興趣，他就會說繪畫是一件簡單的
事，沒有什么奧妙之處，如波提切裡就
認為創作風景畫是一門徒勞的學問，人
們只需用浸透了不同顏色的海綿在牆上
涂抹便可畫出優美的風景畫。"波提切
裡確實對自然景物不感興趣，但他以過
於精細的藝術手法贏得了人們的歡心。
至於吉爾蘭戴鷗，則以創作佛羅倫薩資
產階級上層人物的肖像而深受人們稱
讚。

光與影的作用

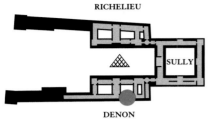

這些作品位於德儂館二層
第 5 展廳內。

萊奧納爾・達芬奇
《岩間聖母》
（1483 年－1486 年）
（畫布油畫，199 × 122 厘米）

萊奧納爾・達芬奇
《米蘭宮廷中一位夫人的
肖像》，也稱《漂亮的額飾》
（1490 年－1495 年）
（木板油畫，63 × 45 厘米）

萊奧納爾・達芬奇
《年輕女人的頭像》
（約1480 年－1485 年）
（銀尖、淺白色畫，
18 × 16.8 厘米）

　　萊奧納爾・達芬奇在《論繪畫藝術》中指出："如果您想看一看繪畫的總體效果是否與實際物體相符，可以擺一面鏡子，並讓它反射出實際物體。然後可比較畫上和鏡子中的物體，並仔細檢查兩個畫面中的物體是否一致…。它們應體現出沉浸在光與影中的景象。這兩幅景象似乎遠遠地延伸到超出它們畫面的境界。你知道由於輪廓、光與影的效果，鏡子向你顯示出清晰的物體，並且你對光和影應用了比自然物體本身更為鮮明的色彩，那麼如果你懂得繪畫的話，你便可以肯定你的作品，將是自然物體的真實寫照。"

萊奧納爾・達芬奇
《聖母、幼時的耶穌和
聖・安娜》，（局部），
（約1508 年－1510 年）
（木板油畫，
168 × 130 厘米）

一幅笑容、一張風景畫

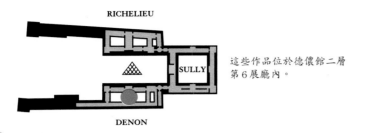

這些作品位於德儂館二層
第6展廳內。

萊奧納爾·達芬奇
《焦貢妲》，也稱《蒙娜·麗沙》，
（約1503年－1506年）
（木板油畫，77×53厘米）

　　所有畫家、作家或理論家都為佛羅倫
薩輪廓模糊派大師萊奧納爾的高超的藝術
造詣所吸引：他描繪流通、潤澤的空氣，
使大氣效應神乎飄渺，讓人體或物體的輪
廓線條在光與影的相互作用下逐漸融化，
與周圍的風景融為一體。這一切都凝聚在
《蒙娜麗沙》（一位披紗帶孝的婦女肖像）
的傑作中，也體現在朦朧背景陪襯下不朽
的人物描寫中。

理想的人道主義

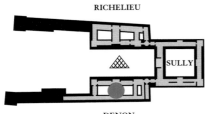

這些作品位於德儂館二層第5、6展廳內。

通過對巴拉奔撒爾・卡斯提戈里訥的肖像的繪製，拉斐爾借此表現了這位外交家、博學者、精明的文人、《奉承者》的作者和十六世紀理想人道主義的頌揚者的形象。其藝術手法在於隱藏一切努力、一切探索、飾以節製精審的外表，人們稱之為"簡明"手法：簡單的姿勢，色彩與物體的默契協調，用輕巧的筆觸在若干地方著上明亮的顏色，或在薄薄的畫布上輕輕一抹。拉斐爾讓卡斯提戈里訥的臉上充滿陽光，展現於人們面前；同樣，在這幅畫家的自畫像中，描繪著一位先生用手向我們指著某個人或某件物體。

拉斐爾
《聖母、聖兒和小約翰》，也稱《漂亮的女園丁》，（約1508年）（木板油畫，122×80厘米）

拉斐爾
《拉法埃洛和一個朋友》，（1519年）（畫布油畫，99×83厘米）

拉斐爾
《女人的半身像》，（約1504年－1505年）（棕色羽筆畫，22.3×15.9厘米）

拉斐爾
《巴拉奔撒爾・卡斯提戈里訥的肖像》，（1514年－1515年）（畫布油畫，82×67厘米）

一切都是那么地平靜安祥。以農婦或女園丁的形象出現的聖母坐在一塊岩石上，她的面容在藍天白雲的襯托下顯得格外的美麗。畫面的風景簡單質樸，一片點綴著幾朵鮮花的草原、幾棵纖細的樹、幾座朦朧的山丘和一個遙遠的村莊。這一切在人物的舉止和眼神的對應下顯得格外的寧靜。聖兒抬起雙眼望著他的母親並靠在她身上，試圖拿聖母手中的書（書上注明了祭獻的時間），跪在地上的小約翰轉向耶穌，試圖站立起來以便把十字架交給他。在這一片安祥寧靜的氣氛中，流露著耶穌基督受難的預告。

威尼斯樂園

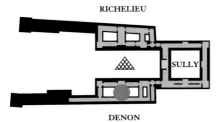

這些作品位於德儂館二層
第6展廳內。

提香
《田野中的合奏》，（約1510年）
（畫布油畫，105×137厘米）

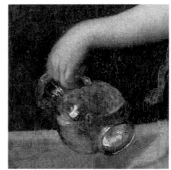

在這幅畫中，一位威尼斯貴
人演奏著詩琴，一個農夫俯首凝
視著他；一個女人把水罐中的水
倒出來，另一個女人玩弄著一根
笛子；在遠處，一個牧羊人趕著
羊群。這是一幅描寫牧羊人的簡
單圖畫，還是一首田園詩歌？是
關於古代創世者純真幸福的境
地，還是一個神話傳說？因為詩
琴象征著用裡拉樂器演奏詩歌，
那么這是不是一場城市弦樂器與
鄉間管樂器的音樂競賽呢？畫中
的女人是否就是詩神繆斯？這個
反映文藝複興文化的作品，讓我
們難以琢磨。

虔誠與音樂

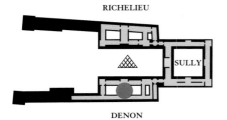

這些作品位於德儂館二層第6展廳內。

在帕爾馬，考雷熱以溫暖柔和的金黃色為基調，研製出一種表現神話故事或宗教信仰的獨特色彩。

考雷熱
《維納斯、林神和丘比特》，
（約1524年－1525年）
（畫布油畫，190×124厘米）

考雷熱
《亞歷山大的聖卡特琳的神秘婚禮》，
（約1526年－1527年）
（木板油畫，105×102厘米）

"在加利利的卡納，舉行過一場大婚宴，耶穌的母親、耶穌和耶穌的門徒應邀參加了這次婚禮，但酒已喝光了。"耶穌便把水變成酒，就此創造了第一個奇跡。委羅內塞從這個聖約翰的福音書章節中獲取了靈感，通過畫面精巧的布局和五彩繽紛的顏色，向人們展現出一幅富麗堂皇的巨型畫面，用以裝飾威尼斯聖·吉歐爾吉歐·馬吉歐爾修道院的餐廳。有些人認為這個作品過於誇張華麗和闊綽排場，有損於聖經故事的嚴肅性。對於這些責難，委羅內塞求助於藝術上的破格，他說："我們這些畫家，同樣有權享有詩人和其他狂人的自由。"正是以這個自由的名義，委羅內塞把耶穌置於身著威尼斯式或土耳其式綾羅綢緞的人群當中，並由小丑與狗陪伴，一切顯得不合體統。還把一組音樂家安置在畫面的前排：身穿紅袍的人演奏低音提琴；在他的右側，另一人持小型提琴；身穿白袍的和坐在他後面的人用古提琴獻技；在後排，一個人吹牛角獵號，另一個位於左邊的人演奏一種中世紀的長號。

委羅內塞
《卡納的婚宴》，（1562年－1563年）
（畫布油畫，677×994厘米），
（兩幅局部畫見120、121頁）

生命的各個階段

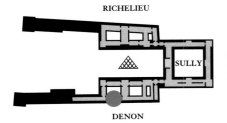

這些作品位於德儂館二層
第7展廳內。

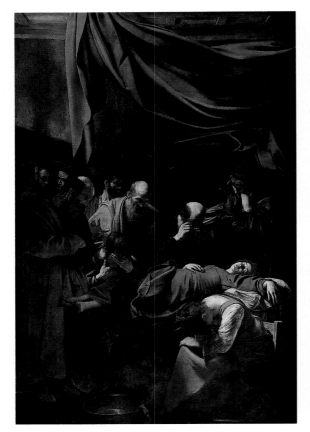

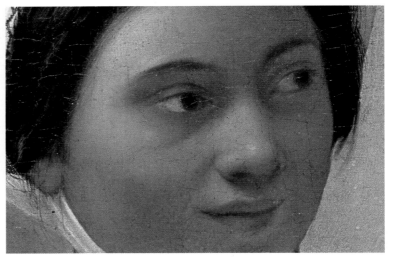

卡拉瓦喬
《聖母之死》，（1605年－1606年）
（畫布油畫，369×245厘米）

卡拉瓦喬
《好運》，（約1594年）
（畫布油畫，99×131厘米）

　　一位普通的女人剛剛死去！只有那頭上的光
輪顯示出她就是聖母。一位吉普賽女人騙取了領
主的信任而盜走了他的戒指。為了生動地描繪這
些人物形象，卡拉瓦喬在大街上尋找模特。歷史
學家貝洛裡這樣記述道："他藐視古代著名的大
理石雕塑，也不崇拜拉斐爾的名畫，他只把實物
作為繪畫的對象，為了表明實物給他足夠的靈感
使他成為藝術大師，他把畫筆深入到廣大群眾之
中。"這個自然主義清新的教則讓十七世紀卡拉
瓦喬派畫家久久不能忘懷。

總督和狂歡節

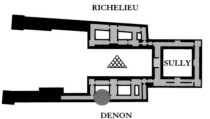

這些作品位於德儂館二層
第 7 展廳內。

弗朗切斯科・瓜爾
《威尼斯總督於 1630 年鼠疫的紀念日，11 月 21 日
來到拉・薩呂特教堂》，（約 1766 年－1770 年
（畫布油畫，67×100 厘米

弗朗切斯科・瓜爾
《威尼斯的聖・吉歐爾吉歐・馬吉歐爾》
（約 1766 年－1770 年），（畫布油畫，67×100 厘米

　　許多人喜愛威尼斯和它的狂歡節；尤其是
在十八世紀，無論是藝術大師，還是音樂愛好
者，都被威尼斯共和國主辦的狂歡節的歡樂場
面所吸引。據法國第戎議會議長、旅行作家波
柔斯主席敘述道："狂歡節從 10 月 5 日開始，
加上耶穌升天節的十五天，在前後近六個月
中，不論何人，包括神甫和其他人，甚至教廷
大使和嘉布遣會修士的看守也不例外，都去參
加假面具狂歡節。"

啼波婁・吉昂多蒙尼句
《狂歡節》，（約 1754 年－1755 年）（畫布油畫，80×110 厘米）

弗朗德勒的繪畫藝術

捐贈者的教堂

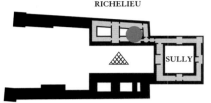

這些作品位於黎希留館三層
第 4 展廳內。

揚・瓦・愛克
《聖母和掌璽大臣羅蘭》
約 1435 年，木板油畫，66 × 62 厘米

　　這幅畫展現出具有不同層次的四個場
所，揚・瓦・愛克以此把我們的視線由近
到遠逐步地引入所繪空間的深度和廣度之
中。在我們面前出現的場景依次為：捐贈
者在一個鋪設著瓷磚的房間內向聖母祈
禱；一個公園；一個平台；俯視著蜿蜒彎
曲地貫穿於城市之中的河流；一片山野。
目前有一個場所有待於進一步考察，這就
是實現此作品的所在地，即奧登大教堂中
羅蘭家的偏祭台。為了均勻分配畫面中的
明亮度，這個布魯日藝術家考慮到偏祭台
中的畫是由左邊來的光線照亮的，便在人
物的右面加上明亮的光彩。

虔誠教徒的護身符

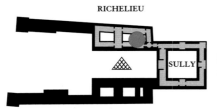

這些作品位於黎希留館三層
第4展廳內。

祭壇後面的裝飾屏原指教堂中祭壇
"後面的一塊板"，用於放置祭品。不久
之後，這塊板便成為裝飾物和象征體。
無論是雕塑，還是繪畫，都在這塊裝飾
屏上體現出上帝或保護聖人的存在。而
且它變得越來越複雜，可分為幾塊板，
上面支撐著一個華蓋。後來成為可移動
的進行私下祈禱的用具；它由兩塊、三
塊或多塊板組成，因此成為雙折畫、三
折畫或多折畫。它的擁有者在折板的後
面請人畫上他們的肖像或紋章，並隨身
攜帶著它周游各地。它也可用於家中祈
禱。

羅傑爾・凡・魏登
《聖母聆報》，約1435年，
木板油畫，86×93厘米

羅傑爾・凡・魏登
《布拉克家的三折畫》：
聖母和福音傳教士聖・讓之間的耶穌，
聖・讓・巴蒂斯特（左圖），
聖・瑪德蘭娜（右圖）
約1450年－1452年，木板油畫，
41×68厘米（中圖）
41×34厘米（兩翼圖）

文藝複興前期的藝術家？

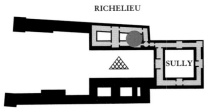

這些作品位於黎希留館三層
第5展廳內。

　　"如果您星期日來羅浮宮參觀，您可以發現
在畫廊的某一處，一群人因觀賞著一幅畫而堵
塞了通道，且每個星期日均如此。您以為這一
定是什么人的傑作；其實不然：這不過是德國
畫派的一件粗劣的作品。"司湯達是這樣表達
他對這幅美姆林作於1814年深受大眾喜愛的三
折畫的讚美的。美姆林目前被看作北方派畫家
的主要代表之一。這個原籍日爾曼、定居於布
魯日的畫家，曾被列於"文藝複興前期藝術家"
行列，不屬於繪畫藝術成熟的"文藝複興時期"
的藝術家。由此看來，人們的鑒賞力也不是恆
定不變的。

漢斯·美姆林
《耶穌複活三折畫》，殉教者聖塞巴斯蒂安（左圖）
和耶穌升天（右圖）約1490年，木板油畫，
61×44厘米（中圖），61×18厘米（翼圖）。

漢斯·美姆林《手持油橄欖樹枝的天使》，
木板油畫，16.4×11厘米

畫家和他的鏡子

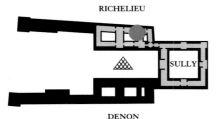

RICHELIEU

SULLY

DENON

這些作品位於黎希留館三層
第9展廳內。

如果說所有說明高利貸者職業的物品,如戒指、珍珠、錢幣、稱、書和文件,都已顯示在畫中的房間內,那麼還有一些細節也暗示著其它場所並對我們展現出其它畫面:右邊一扇門微微開啟,左邊一束光射在瓶肚上,中間的那面鏡子反射出一個人在窗旁看書,窗外的景色依稀可見。這種凸起的鏡子,由於它那不規則的表面,使照鏡子人的面孔變形,在中世紀時被稱為"巫婆"。鏡子中的景色,經仔細體會琢磨之後,可能會成為一幅寓意畫,因此鏡子也是那些樂於運用既反映事物真相、又不用正面表現,既暴露又掩飾,畫在框內、意在框外的藝術手法的藝術家的標志。畫家就是這樣用鏡子向我們示意著繪畫的奧秘之處的。

坦·馬賽斯
《錢莊老板和妻子》，1514年，
木板油畫，70×67厘米

渾圓體態的優美

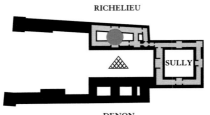

這些作品位於黎希留館三層
第18展廳內。

彼德・保爾・魯本斯
《1600年11月3日王后駕臨馬賽》，
為王后瑪麗・德・梅蒂西斯所作的一組畫像中的第九幅，
1622年－1625年，畫布油畫，394×295厘米

彼德・保爾・魯本斯
《主保瞻禮節》，約1635年，
木板油畫，149×261厘米

根據昂冬・凡・戴克
作的《魯本斯和凡・戴克的肖像》
而製成的十九世紀的複製品，
畫布油畫，58×74厘米

　　如何畫一幅女人像？弗朗德勒藝術大師彼德・保爾・魯本斯在他的《人體繪畫論》中，把這一論題作為"靜態或動態"繪畫的原則之一進行研討，並給出了優美模型的定義。他認為，如果男人的軀體是由立方體和方塊構成，那么女人的則以圓圈為主。女性的軀體應是渾圓豐滿的，應該具有肥碩的脖頸、光滑的面孔、柔軟的雙臂、細長的手、靈活的手指、微微向上的豐滿乳房、柔潤的肚皮、筆直且優雅凸出的小腿、寬厚和臃腫的大腿、翹起的臀部以及玲瓏的小腳。這一切便形成了粉紅色彩之中的白嫩肉體的畫像。

荷蘭繪畫藝術

醉船

RICHELIEU

SULLY

DENON

這些作品位於黎希留館三層第5展廳內。

傑洛拇·博什
《愚人之舟》，
約1490年
－1500年，
木板油畫，
58×32厘米

　　一只怪異而單薄的小舟裝載著一個小丑、一位修女、一位方濟各會修士和一些醉漢，有的在飲酒，有的在嘔吐，他們張著大嘴爭吃著一個蛋糕或試圖取下桅杆上掛著的雞，這一切意味著什么？他們上船漂往何處？這一片弗朗德勒式花天酒地的情景常常出現在大眾的讀物中，以及狂歡節中的游行隊伍和歌曲中，畫家想通過這幅畫譴責那些腐敗墮落、偏離基督教宗旨、把教徒引向地獄的行為。

彈奏詩琴

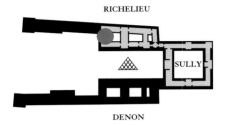

這些作品位於黎希留館三層
第30展廳內。

熱拉爾·特·鮑赫
《雙重奏：女歌唱家和雙頸詩琴演奏家》，
1669年，畫布油畫，82.5×72厘米

弗朗斯·哈爾斯
《玩詩琴的小丑》，約1624年，
畫布油畫，70×62厘米

弗朗斯·哈爾斯
《吉普賽女郎》，約1628年－1630年，
畫布油畫，58×52厘米

弗朗斯·哈爾斯筆下的花哨人物和特·鮑赫精雕細琢的上流社會場面在繪畫藝術手法上毫無共同之處。但把這個小丑和這兩位音樂家連在一起的是美妙的音樂和詩琴。詩琴是十七世紀最盛行的弦樂器，贏得人們的最高讚賞。有伴唱的詩琴或詩琴獨奏，用簡單的詩琴或雙頸詩琴（詩琴的演變樂器之一）演奏，都深受大眾的喜愛。法國哲學家、物理學家馬蘭·梅爾深涅教士1636年在《萬能的和諧》中論述道："詩琴在所有樂器中最為高貴，因為它曲調柔美，音節多變且和諧，音色寬廣均勻，演奏十分困難。"

情人女仆

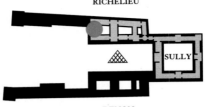

這些作品位於黎希留館三層
第31展廳內。

"一天晚上,大衛從床上起來在宮殿的平台上散步,從平台上望見一個正在洗澡的女人。這個女人非常漂亮。大衛向人詢問有關這位女人的情況,有人告訴他說:'她是貝特薩貝,埃利阿瑪之女,烏裡·勒·西提特之妻!',這樣大衛便派遣了一些密使找到了這個女人。她來到他家,馬上就與他同床共枕了,而當時她月經剛干淨。"如果倫勃朗·凡·林在這裡描繪了一個著名的聖經故事,那麼這個磨坊主的兒子則擯棄了所有軼事細節,在這幅畫中精心刻劃了一種裸體的美,畫中的模特是他的女仆兼情人亨德裡克桀·斯托幅拉斯。

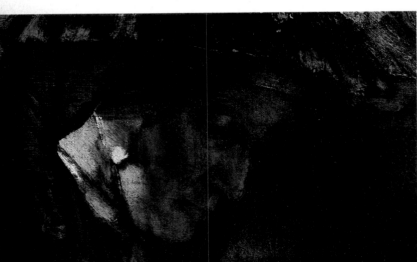

倫勃朗·凡·林《畫架前的藝術家自畫像》,
1660年,畫布油畫,111×90厘米

倫勃朗·凡·林,《沐浴的貝特薩貝》,1654年,
畫布油畫,142×142厘米

倫勃朗·凡·林,《噘嘴的倫勃朗》,1630年,
銅版畫,7.5×7.5厘米

畫中之畫

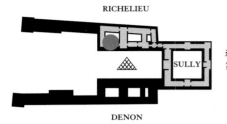

這些作品位於黎希留館三層
第 38 展廳。

用一連串的套間和窗外透進的光線描繪房間的內部，在一只酒杯的四周，聚集著幾位文雅風流人士，這就是荷蘭派藝術繪畫中最常見的畫面組成之一。人物身後的帷幔使整個裝飾更加完美，畫家以阿姆斯特丹的地圖為背景，勾畫出一位青年男子的身影，並在整體結構上再增添一些道德學家的色彩，如畫的右上角的那幅耶穌和奸婦的畫像。彼特·德·侯施擅長在畫中和畫中畫裡津津樂道地講故事。

彼特·德·侯施，《嗜酒女人》，1658年，
畫布油畫，69×60厘米

在迭勒幅特作畫

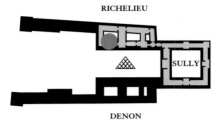

RICHELIEU

SULLY

DENON

這些作品位於黎希留館三層第38展廳內。

十七世紀時,維米爾在他生活的迭勒幅特城被認為是一位"靈巧的畫家"。他追求畫面的完整性,力圖精確地表現當時溫馨的日常生活。這件小巧作品所刻畫的埋頭做工的花邊女工屬於傳統的普通題材。也許與我們的期待相去甚遠:畫家沒有描繪這位面容向前略傾的花邊女工手中的活計(因為被她的右手遮住了),而是把我們的視線引到置於畫面前面的模糊飄落的物體上:一些彩色紗線、一張地毯、一只靠墊、一本書…。維米爾在此別具匠心地運用了題材和繪畫的藝術。

約翰斯·維米爾
《花邊女工》,約1670年－1671年,
粘在木板上的畫布油畫,24×21厘米

封閉和寧靜的生活

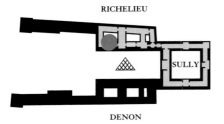

這些作品位於黎希留館三層
第38展廳內。

約翰斯·維米爾，《天文學家》，1668年，
畫布油畫，51×45厘米

　　維米爾不以繪畫為生：他的家
庭寬裕闊綽，一位藝術資助者也為
他購買畫布且借錢給他，再加上他
從事的藝術品交易活動，他每年只
需繪製兩三幅畫，因此他可以自由
廣泛地選擇題材，如：隱秘的景
象、科研的場面。這與大多數荷蘭
畫家的情況不同，他們需在集市
上、在公共建築中或在他們的畫室
內拍賣他們的作品，其價格取決於
畫的尺寸、題材及繪製的手法，一
幅人物的肖像比靜物畫或風景畫昂
貴，因為它的繪製需要更多的時間
和較深的功夫。

德國繪畫藝術

測量的藝術

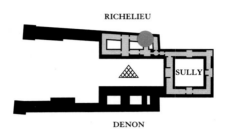

這些作品位於黎希留館三層第8展廳內。

測量藝術是所有繪畫藝術的基礎，十六世紀初丟勒在紐倫堡曾經說過："對於想在藝術界自我修養的年輕人，我對他們講述了一些基本原則，以便他們可以使用圓規和尺子大膽地進行測量，實現對實物的逼真描寫，從而使他們不僅產生獲得藝術真諦的欲望，且達到精通藝術的境地。至於我們當今社會上那些蔑視繪畫藝術的人，我對他們毫不在乎。"

阿爾布雷赫特·丟勒
《手持蒐麻葉的藝術家畫像》
1493年，貼在畫布上的羊皮紙油畫
56.5 × 44.5 厘米

阿爾布雷赫特·丟勒
《阿爾枸山谷》，1495年，
用黑墨水羽筆勾畫的
水彩、水粉畫
22.3 × 22.2 厘米

克拉納赫的畫室

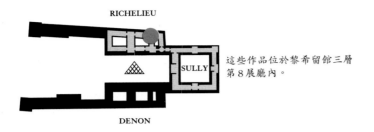

這些作品位於黎希留館三層第 8 展廳內。

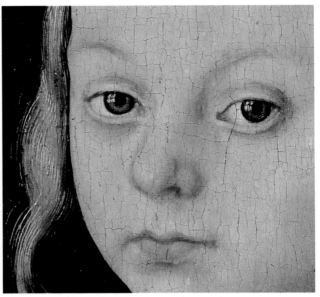

近四百件作品出自於盧卡斯畫室（盧卡斯為克拉納赫的出生地）。這四百件作品凝聚著克拉納赫五十年的藝術精華，它們大都被獻給維騰貝格市的薩克森選帝候。而那些為私人用戶訂購而作的作品則是一些宗教信仰或神話故事的描繪，還包括風景中的維納斯裸像、達官顯貴的肖像、年輕的女孩及朋友馬丁·路德的肖像。而維貝格又正是宗教改革的發祥地，1517 年馬丁·路德在此發表了《九十五條論綱》，因此他被逐出教會，也正是在此，他燒毀了教皇對他下達的諭旨，勒令他撤回《論綱》的。

盧卡斯·克拉納赫，又稱老克拉納赫
《馬丁·路德之女瑪德蘭娜·路德的肖像》，1540 年，
木板油畫，39 × 25 厘米

盧卡斯·克拉納赫，又稱老克拉納赫，《維納斯》，
1529 年，木板油畫，33 × 26 厘米

撰寫、觀察、計算

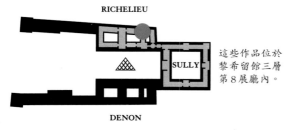

這些作品位於
黎希留館三層
第8展廳內。

漢斯・賀爾拜因，又稱小漢斯，《伊拉斯漢的肖像》，
1523年，木板油畫，42×32厘米

這兩幅畫上的先生一位在撰寫，另一位在觀察和計算，前者是荷蘭神學家、《對話錄》和《愚人頌》的作者，後者是定居在倫敦的德國天文學家。這些畫描繪了工作中的伊拉斯謨和尼古拉·卡拉茲爾，尤其是於後者，四周擺滿了測量儀器、圓規、尺子和日晷儀，畫家借此表達他對同代博學者的仰慕之情。漢斯·賀爾拜因由此成了十六世紀人文主義的肖像畫家。

漢斯·賀爾拜因，又稱小漢斯
《尼高拉·克拉澤的肖像》1528年，
木板油畫，83×67厘米

西班牙繪畫藝術

托萊德的希臘人

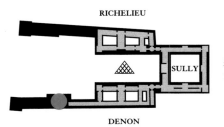

RICHELIEU

SULLY

DENON

這些作品位於德儂館二層
第13展廳內。

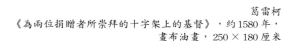

葛雷柯
《為兩位捐贈者所崇拜的十字架上的基督》，約1580年，
畫布油畫，250×180厘米

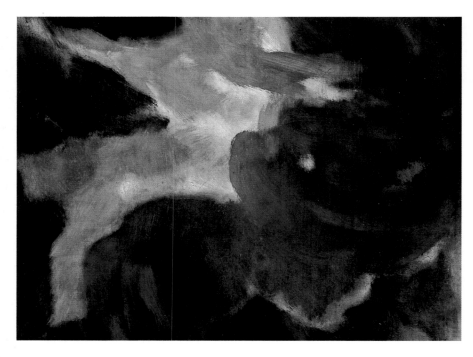

　　畫家弗朗西斯考·帕舍考曾經在托萊德遇到過希臘人葛雷柯，他這樣敘述道："誰都不能相信葛雷柯時常在畫好的畫上再添上幾筆，使畫面體現著不同的色彩，凝聚著冷酷的色調，給人一種假象。"他還說："讓我非常驚訝的是，當我1611年問葛雷柯素描和著色哪一件事更難時，他回答我：'著色'。更讓人吃驚的是他對繪畫之父米開朗基羅鄙薄的評價，他聲稱米開朗基羅是位偉人，但不懂繪畫"…。

黃金時代

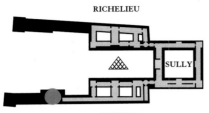

這些作品位於德儂館二層
第13展廳。

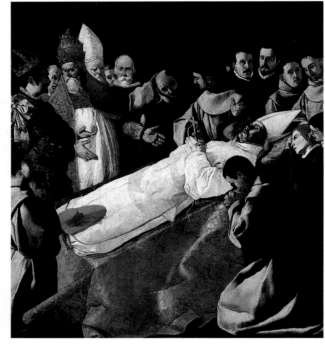

　　十七世紀時期西班牙的繪畫處於罕見的卓
越和富饒的階段，由此被人們稱為"黃金時
代"。十分信奉天主教的王室要求畫家以莊
嚴、虔誠、慈善的態度描繪最不幸、最貧苦的
人。蘇巴朗在塞維利亞向一位方濟各會的聖人
表示了志哀，穆裡洛描繪了一個乞丐，而利貝
拉則在西班牙統治下的那不勒斯豎起一幅畸形
足小孩的大肖像。

夫朗西斯科·德·蘇巴朗
《聖博納旺圖爾遺體的展示》，
約1629年，畫布油畫，250×225厘米

利貝拉，《畸形足的人》，1642年，
畫布油畫，164×92厘米

愛斯特邦·穆裡洛
《少年乞丐》，約1650年，
畫布油畫，137×115厘米

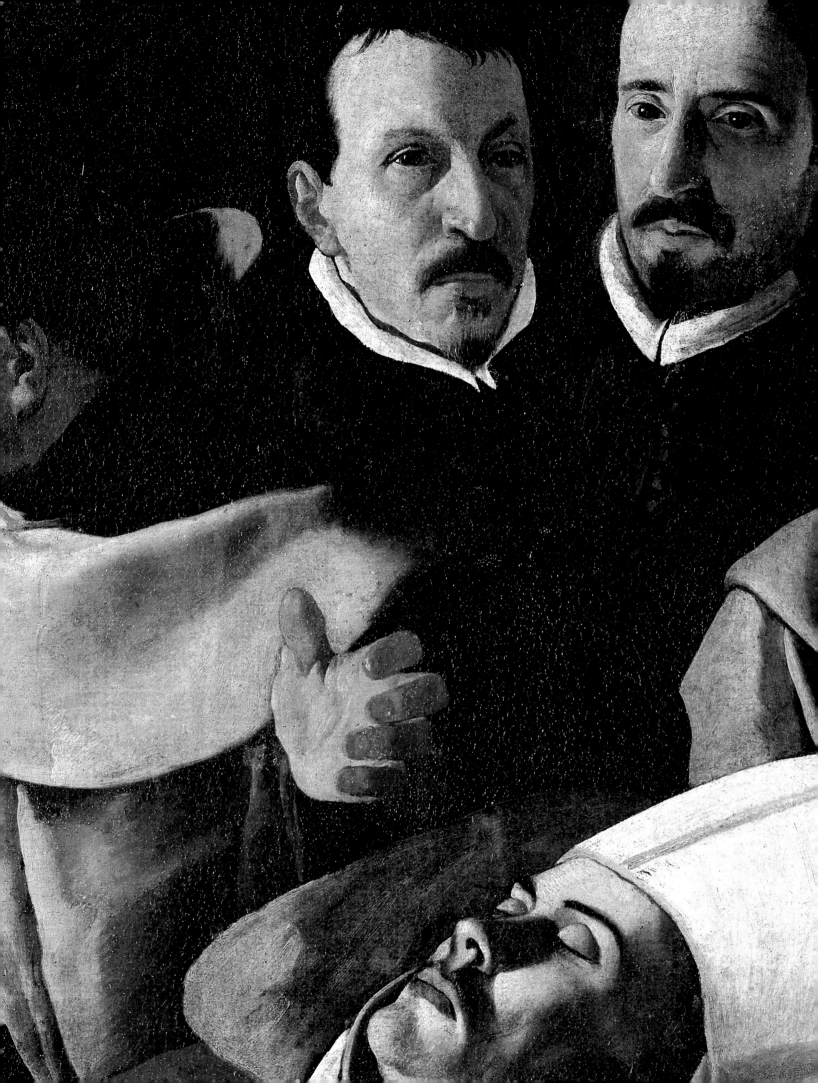

國王的畫家

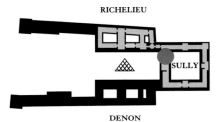

這些作品位於緒利館三層 c 展廳。

夫朗西斯科・德・戈雅
《蘇巴朗的肖像》，素描，
血紅色圖，15.2 × 11.8 厘米

夫朗西斯科・德・戈雅
《手持扇子的女人》，1805 年－1810 年，
畫布油畫，103 × 83 厘米

夫朗西斯科・德・戈雅
《卡爾皮奧伯爵夫人的肖像》，
1793 年－1794 年，
畫布油畫，181 × 122 厘米

　　具有宮廷畫家稱號的夏爾四世的畫家戈雅給我們留下一組壯觀的藝術珍品，它包括當時馬德裡宮廷、貴族階層及文人雅士的人物肖像，如：國王和王后、銀行總監、將軍、大使、收藏家或畫家，如蘇巴朗。還包括一些貴夫人，如：卡爾皮奧伯爵夫人，即索拉娜的女侯爵，她呈現在粉紅色飾帶烘托下的灰色背景的協調色彩之中，和一位手持扇子的貴夫人。

英國繪畫藝術

肖像風景畫

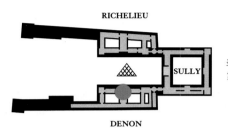

這些作品位於德儂館二層第76展廳內。

蓋恩斯巴勒，《公園裡的交談》，
約1746年－1747年，畫布油畫，73×68厘米

蓋恩斯巴勒，《阿拉斯頓夫人》，
約1760年－1765年，畫布油畫，226×168厘米

喬舒亞·雷諾茲，《哈爾大師肖像》，
約1788年－1789年，畫布油畫，77×63厘米

　　作家賀瑞斯·華爾波爾曾指出："詩歌、繪畫、園林（或風景學）被風雅人士視為給大自然和人類披衣掛景的三姐妹或新美慧三女神"。十八世紀的英國正處於新潮風景藝術美感的形成之中，許多風景如畫和變化多端的園林紛紛出現在畫中，一些園林側重於點綴著虛構廢墟和異國涼亭的詩情畫意，另一些則致力於模仿山丘與樹林勾畫的大自然。正是在這樣的園林之中，畫家們繪製了貴族們的肖像畫。

天與水

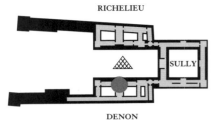

這些作品位於德儂館二層
第 76 展廳。

　　康斯太布爾很少離開他的出生地,並在此堅持不懈
地研究天空和雲彩的變幻景色、繪製鄉村和原野的景
象。透納則在英國和大陸上旅游。前者希望成為象他所
說的"天然派
畫家",致力
於簡潔真實的
作畫藝術;後
者則尋求光線
的表現方法,
用團團色彩渲
染自然風光,
與前者的藝術

手法截然不同。如果人們認為康斯太布爾的繪畫清晰明
快,透納的繪畫則被評定為晦澀難懂。

約翰·康斯太布爾,《索爾斯堡一瞥》,約1820年
畫布油畫,35 × 51 厘米

約翰·康斯太布爾,《全景畫》,
水彩畫,19.5 × 34.5 厘米

威廉·透納
《一條河和遠方的海灣》
約 1840 年 — 1845 年,畫布油畫,93 × 123 厘米

素描藝術

羽筆和畫筆

萊奧納多‧達芬奇,
《一個下跪人的幛幔》,
灰色畫布上帶有白色的灰色膠畫,
20.7 × 28.7 厘米

匹桑尼羅
《飛翔的鳳頭麥雞、紅啄木鳥和珠雞》,
十五世紀,用白色、棕色墨水、鉛尖和
石墨繪製的水粉畫,尺寸分別為
15.7 × 28.9 厘米,9 × 14.7 厘米

讓‧富凱,《愷撒越過盧比孔河》,即《愷
撒時期的古代史和羅馬人的豐功偉績》中的
一頁,約 1470 年－1475 年,
羔皮紙上的小彩畫,44 × 32.5 厘米

　　羅浮宮的近十三萬件作品証實
了藝術家用畫筆、羽筆或金屬尖頭
創作的繪畫技術不愧為多種多樣。
其中,意大利石、黑石,常摻雜著
血紅色,並用白粉筆加以襯托;墨
摻水後成為水墨;茶褐色由碳黑、
水和樹膠調和製成;膠畫顏料則基
於雞蛋。畫布及畫紙常常已著有淺
色;羔皮紙是幼小動物或死產動
物,如小羊羔或小馬駒的皮經處理
後得到的。

寫實畫

歐仁・德拉克洛瓦
《摩洛哥之行中的一頁》，1832年，
石墨水彩畫，10.5 × 9.8 厘米

彼得・保爾・魯本斯，
《樹木的研究》，十七世紀，黑石和
棕色墨水畫，58.2 × 48.9 厘米

奧諾雷・杜米埃，
《鐵匠》，十九世紀，用黑鉛
筆、黑墨水繪製的帶有白色的
灰色水墨畫，
35.4 × 25.4 厘米

　　素描的形式多種多樣，如用線條勾勒一幅構圖、研究某一動作、速寫某一景色。而德拉克洛瓦在摩洛哥旅行中所作的實地寫生更是伴隨著一種文化的發現，他在1832年4月28日於丹吉爾記述道：“一些古老、普遍的習俗在此具有極高的尊嚴，是我們社會中一些重要場合所缺少的。如婦女們星期五帶著市場上買到的樹枝去陵墓掃墓，訂婚儀式要有音樂伴奏，禮物擺在雙親的身後，包括古斯古斯、用騾或驢馱著的面袋、牛、用於靠墊的針織品等。他們在許多方面比我們更接近於大自然：他們的服裝、他們的鞋的樣式，都構成應有盡有的美感。而我們的則截然不同，我們的系帶胸衣、狹窄的鞋、可笑的緊身裕，這一切讓人覺得可憐，我們的科學因此而受到了懲罰。”

Corps de garde intérieurs.

Intérieur de la cour.

porte dégradée par en bas

tombeau de saint en
descendant
Creneaux dentelés.

équile

orange
 Zululette

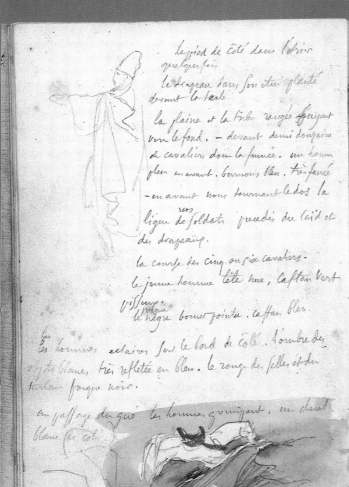

le pied de côté dans l'étrier
quelquefois
le drapeau dans son étui planté
devant la tente.
la plaine et la tribu rangée fuyant
vers le fond. — devant demi douzaine
de cavaliers dans la fumée. un homme
plus en avant, burnous bleu. très foncé
— en avant nous tournant le dos la
ligne de soldats précédés du Caïd et
des drapeaux.
la course des cinq ou six cavaliers.
le jeune homme tête nue, Caftan vert
visseur.
le nègre bonnet pointu. caftan bleu.

Les hommes eclairés sur le bord de l'eau. l'ombre des
objets blancs, très reflétée en bleu. le rouge des selles et du
turban foncé noir.

au passage du gué les hommes grouillant. un cheval
blanc etc.

1er. jour Ahin El Dalia — parti à 1 heure de
Tanger.

vert

rougeât

mouchoir jaune
blanc

noir

雕刻藝術

羅曼式和哥特式雕刻

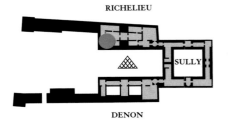

這些作品位於黎西留館一層
第 2、4、10 展廳內

《席爾德貝國王》，
巴黎，聖 - 日爾曼 - 德配斯
修道院，1239 年－1244 年，
具有彩色條紋的石雕，
高 191 厘米

《從十字架上下來的基督》，
勃艮第，約 1150 年，
具有金色和彩色條紋的木雕，
高 155 厘米

《菲利普波特的陵墓》，
西都，修道院，約 1475 年，
彩色石雕，高 182 厘米

　　"羅曼藝術"和"哥特藝術"
這兩個術語在中世紀時，人們從
未用過，並且它們也與任何實際
事物無關。在上世紀，因為羅曼
語來自於拉丁語，博學家才把中
世紀初的藝術稱為"羅曼藝
術"。而"哥特藝術"一詞的來
源則比較複雜：在文藝複興時
期，人們把全部中世紀的創作稱
為"哥特式"的，即由未開化、
不文明的哥特人創造的。中世紀
的藝術曾被認為是一種怪誕的藝
術，是外國人和蠻族人的產
物…。後來人們試圖用這個定義
表示與哥特人毫無關系的、十七
世紀中葉起源於法國的藝術。

優美的矯飾

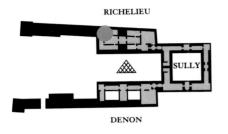

這些作品位於黎希留館一層第14展廳內。

弗朗索瓦一世為楓丹白露宮從意大利招募了許多畫家、雕刻家、裝飾藝術家和金銀匠，從而在法國建立了第一個"矯飾主義藝術家"之家，並參與了這個新型藝術的創建，它以神話題材為先導，提倡流暢明快、纖細優美的藝術手法。所有十六世紀的藝術家都從這個"第一楓丹白露派"的那些作品中獲取創作靈感。文藝複興時期稱為"矯飾主義"的藝術遠離於自然景象，追求形式上的精致和圖形上的優美，使人體加長、變形：讓·古庸雕製的，置於輕柔泉水中的仙女，是美慧女神的化身，她舒展著她那彎曲柔軟的肢體，披著被噴泉浸濕的仙衣衫，位於一座噴泉的淺浮雕之上。

本溫諾托·瑟裡尼
《楓丹白露的仙女》，
阿奈特，普瓦提市的埃狄安娜城堡
1542年－1543年，青銅像，205×409厘米

讓·古庸
《仙女和守護神》，
巴黎，聖嬰噴泉
約1547年－1549年，石雕像，73×195厘米

國王的馬

這些作品位於馬爾利庭院。

庫斯圖
《掙脫馬夫的
駿馬》，1739 年—
1745 年，
大理石像，
高 355 厘米

見對面一頁和第
168 頁、169 頁
馬爾利的庭園
夸斯沃克斯製作的
《騎著飛馬的墨丘
利像》、《勝利女
神像》，1699 年—
1701 年，

在馬爾利，路易十四於 1679 年建造了一座太陽閣和十二個小型建築物，作為一年中十二個月的象征。如同在凡爾賽一樣，馬爾利的建築家、園林大師和雕刻家大力宣揚他們的君主、至高無上的帝王、戰爭國王及和平使者的光輝形象。在瀑布、噴泉或樹叢的迂迴之處曾常常安置著具有神話故事題材的雕塑，如位於飲馬槽的兩尊夸斯沃克斯製作的帶翼馬雕塑，體現著墨丘利和勝利女神的形象。四十年之後，在路易十五的統治時期，這兩尊雕像被庫斯圖的騎馬雕像組取代，這是一組踢蹬前蹄的駿馬雕像，在 1795 年時曾用於裝飾大革命廣場，現稱為協和廣場。這些雕塑於兩個世紀後的今天出現在羅浮宮中。

雕刻家的創作實施辦法

這些作品位於黎希留館一層
第 23、24 展廳內。

粘土或蠟的塑造、石頭的琢磨、石膏的造型、青銅的澆鑄，用這些眾多的雕刻手法可以創造出圓雕、突浮雕和淺浮雕多種作品，也可以粗略大致地造一個模型，或精心雕製一個不朽的作品。對大理石雕塑的製作，藝術家可以通過直接切削法一人完成，即用尖刻的工具粗製雕塑材料，再用多齒形鑿子或剪刀鑿，用鑿石錘敲，用彎頭修整銼磨……當藝術家實行間接切削法時，則需要求助於一些工匠，他們借助於"校準儀器"、鉛垂和圓規，對球形作品進行精確測量。總之，第二種方法讓畫家所有人都有工可作。

安托尼・路易・巴裡
《戰蛇的雄獅》，（局部）
1832 年－1835 年，青銅像，
高 135 厘米

埃德姆・布沙東
《小愛神用大力神赫拉克勒斯
的大頭棒做弓箭》，
1739 年－1750 年，
大理石像，
高 173 厘米

讓・巴蒂斯特・皮加勒
《墨丘利裝上腳後跟
兩旁的翼》，1744 年，
大理石像，高 59 厘米

雕像的肌肉

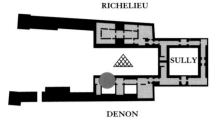

RICHELIEU

SULLY

DENON

這些作品位於德儂館一層
第4展廳內。

昂托尼奧·卡諾瓦
《愛神之吻喚醒了靈魂之神》，
1793年，
大理石像，高155厘米

米開朗基羅
《奴隸》，
1513年－1515年，
未完工的大理石像，
高228厘米

　　畫家、雕刻家、建築師和詩人米開朗基羅用他罕見的知識、基於解剖學尖端技術的人體形象的偉大創作令他的同代人讚嘆不已。作家阿熱壇在1537年對他的藝術加以了讚美："對於他，解剖學變成一種音樂，人體幾乎只是建築藝術的一種表現形式。在壁畫中和雕塑中的人體是超脫於自身的一些運動，其肌肉的節奏線按照音樂的旋律而施展，不受一般藝術中的規律限製。"兩個世紀之後，推崇肉體的柔和畫法的藝術大師卡諾瓦認為上述這種藝術缺乏美感："我不能理解米開朗基羅使用的解剖學藝術手法，我認為他有意追求描繪扭曲的動作造型，過於強烈地體現人體中最凸起的肌肉。"

工藝美術

珍寶

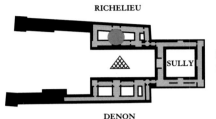

這些作品位於黎希留館二層
第 1、2、3、4 展廳內。

《禮拜壺》，
又稱《蘇傑之鷹》
古埃及或羅馬帝國，
1147 年之前，
聖 - 德尼修道院寶物
斑岩製品，用鍍金和烏銀的銀裝飾，
高 43.1 厘米

《聖骨小雕像》，
又稱《聖禮拜堂中抱著聖嬰的聖母》，
（局部）巴黎，
1324 年－1339 之間，
聖 - 德尼修道院的寶物
鍍金銀製品，用半透明琺瑯、
金、岩石晶體、
珍珠和寶石裝飾，
高 69 厘米

《夏爾五世的權杖》，
巴黎，
1364 年－1380 年之間，
聖 - 德尼修道院的寶物
曾上過琺瑯、
用珍珠和寶石裝飾的金製品，
高 60 厘米

教堂和修道院中常常擁有一個"寶庫"，用於聚集珍貴物品、禮拜儀式物品和聖骨聖物。這些金銀製品非常富麗堂皇，光彩奪目，令人眩目。蘇傑修道院院長在七世紀時付出所有心血裝飾聖 - 德尼修道院，因為他認為那些美妙絕倫的尤物能使信徒"從物質世界跨越到精神時空之中去"。

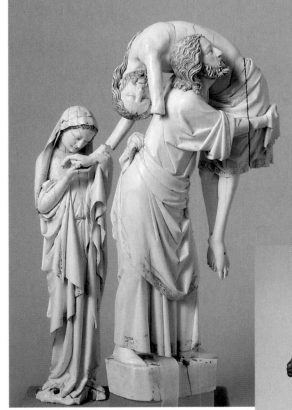

《從十字架上下來》，
巴黎，約 1260 年－1280 年之間，
由鍍金和彩色條紋裝飾的
象牙雕刻

《查理曼大帝手下的騎士小雕像》，
加洛林王朝藝術，九世紀，
梅斯教堂的寶物
帶有鍍金條紋的青銅像，高 23.5 厘米

火的藝術

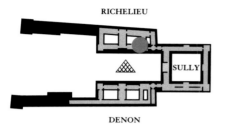

這些作品位於黎希留館二層
第 21、22、30 展廳內。

　　無論是製作上彩釉的陶器、還是加工
彩色搪瓷或琺琅裝飾的陶瓷，火候的把
握都是最重要而又困難的事。正如貝
爾納·帕利西 1580 年在講演中指出
的那樣："我在發明製作粗石製品
技術的過程中，遇到過許多困難和
麻煩，比如當製作一定數目的粗石
盤並同時燒焙時，由於它們的原材
料不同，熔融度也不同，導致有的
琺琅熔化得好，顯得十分美麗，有
的琺琅則熔化得不好，甚至燒焦了。"

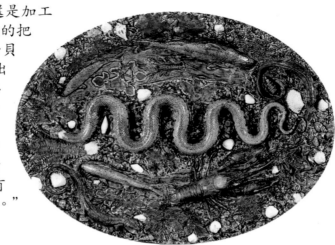

馬瑟歐特·阿巴格斯訥
《巴提·烏爾弗勒宮殿祭壇的台階》
魯昂，1557 年，
上彩釉的陶器，長 326 厘米

貝爾納·帕利西學派
《粗石盆》，法國，約 1560 年
琺琅裝飾的陶器，52.5×40.2 厘米

萊奧納爾·利莫讚
彩色琺琅，裡摩日，
十六世紀中葉
中間：《具有軍事審判權的統帥肖像》
安娜·蒙特牟倫茨·德，
1556 年，琺琅裝飾的銅製品，
鍍金木框，高 72 厘米

鑽石的歷史

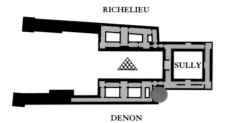

這些作品位於德儂館二層第66展廳內。

《攝政王》，1698年在印度發現的金剛石，
十八世紀初在英國琢磨製成。
140.64克拉

  奧爾良公爵菲利普在1717年
獲得了這顆寶石並給它取名為攝
政王，從此它一代一代地傳給各
代帝王，曾鑲嵌在路易十五和路
易十六的王冠上，裝飾在首席執
政官和拿破侖一世的利劍護手
上，最後點綴在歐仁尼王后的王
冠上。這顆寶石晶瑩奪目、純淨
無瑕、令人讚嘆，尤其是英國藝
匠的精心琢磨，更使它充滿了珠
光寶氣，並因此而享有盛名。它
完美無缺，不存在任何鑽石商稱
之為瑕疵的碎片、斑點或裂痕。

《凸蒙懷表》，巴黎，1709年，
金、鍍金黃銅和白色琺瑯製品，
直徑6.2厘米

《路易十五的加冕王冠》，
巴黎，克洛德・龍德畫室，
十八世紀初，
聖・德尼修道院的珍藏品，
鍍金製品，
用珍貴寶石和刺繡綢緞複製。

《國王的鼻煙箱》，
塞夫勒王室瓷器工廠，
1819年，
硬瓷及鍍金銀製品，
高20厘米

高級木器細木工

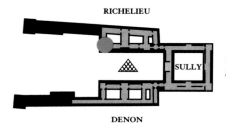

這些作品位於黎希留館二層第79展廳內。即原拿破崙三世的大沙龍。

安德烈·夏爾·布勒,《衣櫥》,巴黎,約1700年,基於櫟樹木料,用烏木和鱗片鑲貼,是用黃銅、錫、角質物、著色木板及鍍金青銅裝飾的細木鑲嵌製品,高260厘米

夏爾·奎松,《猴子五斗櫥》,巴黎,約1735年－1740年,基於冷杉和櫟樹木料,用雞冠花紅色的光滑木鑲貼,鍍金青銅和大理石製品,高90厘米

路易十四1663年在王室傢具儲藏室創辦之際曾這樣評價說:"沒有任何物品能比這裡富麗堂皇的宮殿和珍貴高雅的傢具更顯示出各代國王享受的榮華富貴的生活!"他因此領略到了木匠藝人對王宮的威望所作出的貢獻。"高級木器細木工"一詞在1676年引用到法語中,是指那些不同於一般木匠的,成為鑲貼和細木鑲嵌藝術大師的藝術家。他們把異國或稀有的木材,如烏木、桃花心木、紅木或檸檬樹等與角質物、黃銅、銅或錫等材料混合起來使用,由於使用的材料各不相同,所以製成的傢具形狀也是多種多樣的:繼箱子、衣櫥之後有五斗櫥,人們在1705年認為有抽屜的傢具是最實用不過的。

馬丁·卡爾闌,《迪巴裡夫人的五斗櫥》,巴黎,十八世紀下半葉,塞夫勒瓷器和鍍金青銅裝飾面的細木鑲嵌製品

188－189頁:
《拿破崙三世的大臣,牟爾尼公爵的大沙龍》,
1856年－1861年,

索引

藝術家名單按頁碼順序編排

僅包含所收錄作品的藝術家名

插圖頁

RMN : p. 4, 6, 6, 18, 19, 22, 26, 28, 32, 34, 36, 37, 39, 42, 47, 54, 55, 56, 57, 58, 60, 61, 64, 65, 66, 69, 74, 75, 76, 77, 78, 82, 88, 90, 92, 94, 95, 102, 111, 116, 119, 120, 121, 140, 141, 152, 153, 156, 157, 158, 159, 160, 162, 163, 164, 165, 180, 181, 184, 185, 186, 187. RMN/Arnaudet D. : p. 20, 32, 78, 79, 80, 86, 87, 99, 102, 108, 109, 125, 131, 132, 133, 138, 148, 149, 162, 180, 182, 186. RMN/B. G. : p. 20, 32, 102. RMN/Beck : p. 168, 169, 170, 180, 184, 185. RMN/Bellot M. : p. 114, 148, 162, 167. RMN/Berizzi J.-G. : p. 54, 104, 105, 106, 107, 110, 114, 115, 164, 166. RMN/Bernard P. : p. 16, 66, 67, 146. RMN/Blot G. : p. 3, 4, 5, 7, 8, 9, 40, 41, 46, 62, 63, 68, 69, 72, 73, 93, 94, 98, 110, 122, 123, 124, 130, 139, 154, 155, 156, 177. RMN/Chuzeville : p. 20, 26, 29, 30, 31, 33, 34, 35, 36, 39, 40, 46, 48, 50, 52. RMN/Coppola : p. 168, 169, 170, 180, 184, 185. RMN/Jean C. : p. 5, 23, 46, 74, 78, 93, 103, 110, 118, 126, 127, 128, 129, 134, 135, 140, 142, 143, 146, 147, 156, 170, 172, 173,, 174, 176, 177, 178, 179, 183. RMN/L'hoir J. : p. 7. RMN/Lagiewski : p. 22. RMN/Larrieu Ch. : p. 34. RMN/Leroy : p. 52. RMN/Lewandowski H. : p. 16, 17, 21, 27, 28, 38, 42, 43, 44, 45, 48, 49, 50, 51, 70, 80, 81, 86, 88, 89, 90, 91, 94, 97, 100, 101, 108, 134, 135, 152, 161. RMN/Mathéus : p. 182. RMN/Néri P. : p. 118, 176. RMN/Ojeda R.-G. : p. 50, 51, 58, 59, 66, 76, 82,84, 85, 92, 96, 112, 113, 118, 122, 136, 137, 160, 170, 176. RMN/Rose C. : p. 3, 5, 6, 7, 11, 175, 188, 189. RMN/Schormans J. : p. 7, 68, 69, 72, 124, 125, 130, 138, 144, 145, 150

Imprimerie Hérissey - Évreux - N° 79331

一九九八年一月印刷

一九九八年二月備案

印刷於法國